# 디지털 화폐 (CBDC)바이블

허강욱 지음

부크크

## 프로필 - 저자 허강욱

블록체인 전문가로써, 8년 이상의 블록체인 관련 컨설팅과 사업기획, 프로젝트 리딩, 개발까지 전영역에 대한 경험과, 블록체인의 최신 트랜드인 STO, NFT, RWA, CBDC, WEB 3.0에 대한 인사이트와 기술 역량을 보유하고 있으며, 다수의 블록체인 프로젝트를 추진하였다.

IT 영역에 처음 입문한 것은 개발자로 시작하여 미들웨어, 클라우드, AI와 같은 디지털 트랜스포메이션(DT) 신기술에 대한 컨설턴트, 기획, 아키텍처 역할과 블록체인 기술 리더, 블록체인 사업 기획 총괄을 수행하였다.

20년 이상의 IBM, ORACLE 에서의 글로벌 경험과 국내 대기업, 금융권에서의 경험을 토대로 디지털 트랜스포메이션(DT)신기술에 대한 인사이트와 기술 역량을 가지고 있으며, 디지털 트랜스포메이션(DT)과 블록체인 분야에 대한 기고와 〈WEB 3.0은 블록체인인가〉라는 저서를 집필하였다.

# 프롤로그

코로나(COVID-19) 팬데믹으로 인해, 급속히 변화되고 있는 글로벌 결제 시장과 금융시장에 대응하기 위한 방안들을 검토하면서, 새로운 변혁인 CBDC에 대한 관심도가 커지고 있다.

중앙은행 디지털 화폐 (CBDC)는 중앙은행이 주관하는 디지털 기반의 화폐라고 하지만, CBDC가 무엇인지, CBDC가 왜 갑자기 화두가 된것인지, CBDC가 발행되면 어떤 변화가 있는지에 대해 자세한 사항은 알기가 어렵다.

특히, 일반 대중이나 기업들은 CBDC가 중앙은행에서 준비하고 있는 하나의 방안으로 인식할 뿐, 기존의 라이프 사이클의 변화나 새로운 시장으로 인식하지는 못하고 있다.

실제적으로 출시가 된다면 대중에게 이익이 될 것인지, 기존 간편결제 업체에 새로운 결제 수단이 될 것인지, 앞으로의 변화될 미래의 모습은 가늠하기가 어렵다.

최근 한국은행이 2025년에 일반 시민을 대상으로 CBDC에 대한 실 활용 테스트를 진행한다고 하면서, 관심을 가지기 시작하고 있지만, 비트코인의 가격 상승과 ETF 승인으로 인해, 단지 중앙 통제하에 발행되는 암호화폐로 인식하는 경우가 다반사이다.

디지털 화폐가 블록체인 기술을 활용한다는 차원에서 중앙은행의 중앙
집중식 모델과 맞는 구조인지도 애매한 상황이다.

　이 책을 집필하게 된 동기는 누구나 중앙은행 디지털 화폐(CBDC)에 대한
의미와 가지고 있는 장점과 가져올 변화에 대해 쉽게 이해하고, 인사이트를
얻을 수 있는 교과서, 즉 바이블을 만들자는 취지이며, 2021년 은행에서
CBDC 프로젝트를 진행하면서, 검토되었던 요구사항과 은행 입장에서 필요한
사항, 그리고 중앙은행이 CBDC를 추진하기 위해 요구되는 사항들에 대한
경험을 기반으로 한 내용을 토대로 대중적인 CBDC 전문 서적을 만들기
위함이다.

　이 책을 통해, 누구나 CBDC를 이해하고, CBDC에 대한 개념을 확립
하는데 도움이 되었으면 한다.

# 목차

# 목차

# 목차

# 목차

# 제 1 장

## 디지털 화폐 (CBDC)란 무엇인가

# 01 디지털 화폐(CBDC)란 무엇인가

전세계적으로 현금 사용률이 감소하고 신용카드 및 블록체인 기반 가상자산 (가상화폐)의 등장으로 인해, 은행이 독점적으로 제공하던 결제서비스 시장이 급속하게 변화가 일어났으며, 핀테크의 혁신 결제 서비스 전환으로 인한 디지털 결제 수단의 보편화가 이루어지고 있다.

코로나 19 확산에 따른 글로벌 경기침체로 국가별 버정화폐와 중앙은행의 영향이 감소하고, 글로벌 스테이블 코인(Stable Coin)과 같은 새로운 유형의 지불이 등장하게 되면서, 기존 금융 및 결제시장이 새로운 위험에 직면하게 되었다.

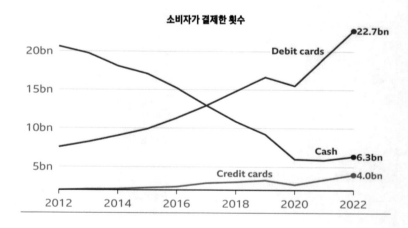

출처 : UK Finance (2022)

가상화폐 시장이 커지면서, 비트코인(Bitcoin)으로 대표되는 가상화폐와 중앙은행 디지털 화폐(Central Bank Digital Currency, CBDC)의 상관관계에 대한 관심이 높아지면서, 금융영역에서 큰 화제가 되며, 18 조 달러를 넘어서는 시장으로 확대되는 추세로 빠르게 전환되고 있다.

중앙은행 디지털 화폐(CBDC)는 주로 인구가 적고 현금 이용이 크게 감소하거나 금융서비스에 대한 접근성이 낮은 국가들을 중심으로 검토가 시작되었으며, 국제결제은행(BIS) 설문조사 결과에 따르면, 전세계 중앙은행의 80% 이상이 이미 CBDC를 연구 중이며, 중앙은행 10 곳 중 2 곳이 3년 내 CBDC를 발행할 계획으로 추진 중이다.

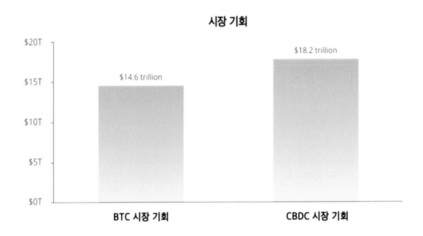

출처 : Satoshi Capital Advisors, Trading Economics, World Gold Council

CBDC는 갑작스럽게 시작된 디지털 화폐의 컨셉이 아니라, 국제결제은행 (BIS)이 2014년 가상화폐 시장의 급성장이 금융시스템 안정성을 해칠 위험이 있는 만큼 각국 중앙은행이 디지털 화폐의 특성을 파악하고, 직접 발행 여부를 결정할 필요가 있다 라는 권장 하에 각국 중앙은행에 " 가상화폐를 준비하라 "는 권고안을 제시하였다.

이와 더불어 2019년 페이스북(Facebook)의 " 리브라 백서 " 발표로 인한 글로벌 금융시장의 위기 및 JP 모건체이스 은행의 " JPM " 코인이 출시되면서, 기존 화폐의 입지가 축소됨에 따라 금융기관들은 위기감을 느끼게 되었다. 그리고 가상화폐가 화폐로써의 입지를 구축하는 상황에서 스테이블 코인과 각국의 중앙은행의 중앙집권형 디지털 화폐인 CBDC는 " 돈의  디지털화 " 라는 변화속에서 국가 주도의 통화정책과 화폐 유통체계를 디지털 환경으로 전환할 수 있는 대안으로 부각되면서, 중앙은행들이 탈중앙형 가상화폐의 기술을 모방하여 추적 가능한 중앙형 가상화폐에 대한 개발에 착수하였다.


## CBDC는 새로운 화폐 인가 ?

CBDC는 새로운 화폐의 개념이 아닌, 케인즈의 세계화폐 " 방코르 "라는 개념을 기반으로 시작되었다.  세계화폐는 세계 각국이 무역에서 각국 통화를 사용하지 말고, 세계화폐를 공통으로 사용하자는 목적으로 20세기 중반 경제학자 존메이너드 케인즈가 창시한 개념이다.  케인즈는 브래튼우즈

회의에서 그의 학문적 연구를 토대로 달러 체제에 대항하는 세계화폐 " 방코르 "와 이를 청산해줄 " 국제청산동맹 "을 도입해야 한다고 제안했다. 세계각국이 무역에서 각국 통화를 사용하지 말고, 이 세계화폐를 공통으로 사용하즈는 주장이었다.

케인즈가 세계화폐를 주장한 이유는 크게 두가지였다. 첫째는 통상분쟁과 환율문제로 3차 세계대전이 벌어지지 않게 하기 위해서이다. 케이즌의 생각은 " 세계화폐는 인플레이션이나 디플레이션이 발생하지 않도록 고안되어야 한다 "는 것이었다. 또 다른 이유는 특정국각의 위기가 다른 국가로 전이되는 현상을 방지하기 위해서이다. 달러가 기축통화일 경우, 경제위기의 전이는 제한적인 수준에 그친다는 게 케인즈의 생각이었다.

## CBDC란 무엇인가 ?

중앙은행 디지털 화폐(CBDC)는 수십년 만에 중앙은행이 보여준 가장 흥미로운 혁신 방안으로 기존의 중앙은행 > 시중은행 > 민간의 간접적인 통화 공급경로에서 중앙은행이 직접 민간 주체에 유동성을 신속하게 공급할 수 있는 구조로 변화가 가능하다. 예를 들면 코로나 19로 인한 재난 지원금을 금융중개기관이 대행하는 것이 아니라, 중앙은행이 개인에게 직접 제공할 수 있는 길이 가능하게 된다.

CBDC는 디지털 형태로 중앙은행이 발행하는 화폐인 Central Bank Digital Currency 라는 의미로, 전통적인 지급준비금이나 결제계좌 상 예치금과는 다른 전자적 형태의 중앙은행 화폐로 정의된다. 지폐나 동전 등 현재 사용하는 현금처럼 국가의 중앙은행에서 발행 및 관리하는 종이 형태의 법정화폐와 동일한 개념을 가지고 있으며, 비트코인(Bitcoin)과 같은 가상화폐와 같이 블록체인 기술을 적용하여 전자적 방식으로 구현되는 구조를 가지고 있다. 그리고 신용카드나 체크나드 사용처럼 실제 물리적 화폐를 교환하지 않고, 지불이나 송금이 가능한 방식이다.

---

**중앙은행 디지털 화폐와 전자화폐는 와는 다른 형태**

전자화폐 (Electronic cash, E-Money) : 은행예금을 전자적으로 여러 단말기에서 저장, 보관, 사용하는 실체가 있는 법정화폐

애플페이, 삼성페이 등 모바일앱과 전자지갑을 사용해 가맹점에서 현금처럼 결제 가능

CBDC는 화폐를 따로 충전, 보관하는 것이 아닌 기존 법정화폐를 대체하는 것

---

CBDC는 디지털 결제를 하고, 가치를 저장 및 사용할 수 있는 전자형태의 중앙은행 화폐로 가상화폐의 기본 분산원장 기술을 사용하는 방식으로, 현재 중앙은행과 각 은행간에 사용하는 거액결제용 지불준비 예치금(Reserves)와 유사한 전자화폐의 성격을 가지고 있다.

구현 방식은 중앙은행 또는 은행이 CBDC 계좌와 거래 정보를 보관, 관리하는 단일 원장 방식과 다수의 거래 참가자가 동일한 거래기록을 관리하는 분산원장 방식이 있다. 대다수의 중앙은행은 개인과 기업들이 사용하는 소액 결제용을 논의 중이며, 중앙은행이 발행하고 은행을 통하여 관리하는 방식을 채택하고 있다.

> **중앙은행 디지털 화폐와 실제 현금과의 차이점은 ?**
>
> CBDC는 실제로 지갑의 청구서와 유사하다.
>
> 물리적 화폐인 현금과 동일하지만, 그 가치를 디지털로 표현한 방식

CBDC가 사용화되면, 비트코인(Bitcoin)을 비롯한 가상화폐는 어떻게 될지에 대하여 궁금증이 생길것이다.

누리엘 루비니 뉴욕대 교수는 CBDC는 미래의 모든 가상화폐를 대체할 것이며, 가상화폐의 가치가 하락할 가능성이 존재한다 라고 전망하였다. 하지만, 반대 의견도 만만치 않다. CBDC는 기존 지불 시장의 변화와 법정화폐의 대체수단 즉, 화폐개역의 의미로 간주하며 서로 목적과 활용되는 영역이 상이하여 공존할 것이라는 의견이 우세하다. 저자의 의견도 가상화폐가 시작된 의미와 목적 그리고 현재 발전되고 있는 시장의 흐름으로 보았을 때, CBDC가 중앙은행 통제 하에 발행되더라도, 기존의 비대면 금융시장의 활성화에는 큰 변화를 보이겠지만, 그 영향도는 크지 않을 것으로 예상된다.

이러한 상황에 비추어 보았을 때, 왜 CBDC를 발행하는 이유는 무엇일까라는 반문을 할 수 있을 것이다. 이미 모바일 지급결제 시장은 포화상태로, 다양한 서비스를 제공하면서, 결제시장을 이끌어가는 상황에서 CBDC는 왜 필요할까 ?

여러가지 이유가 있겠지만, 민간 전자화폐 시장의 확대로 인해 정부가 CBDC를 채택하려는 압력이 증가하고 있으며, CBDC 발행을 통해 정부가 크게 입지가 커지고 있는 민간 전자화폐와의 경쟁에서 우위를 점할 수 있는 것이 큰 이유이다. 그리고 부가적으로 국경 간 결제의 문제점을 해결할 수 있는 새로운 대안이 될 것이라는 기대감 때문이다.

CBDC는 중앙은행이 뒷받침하는 디지털 형태의 통화로 법정화폐와 같이 합법적인 지불 형식으로 인정 및 중앙은행이나 정부에 대한 청구 역할을 담당하게 되고, 도매 및 소배 결제 시스템의 안정성과 효율성을 제고 할 수 있음으로 인해, 부채를 해결하거나 세금납부와 같은 재정적 의무를 이행하는 수단으로 활용될 수 있을 것이다. 현금 없는 사회로 전환 시, 정부나 중앙은행의 지원을 받는 디지털 통화가 신뢰할 수 있는 대안으로 제시되면서, 전세계 중앙은행 들은 이와 같은 효과와 기대감을 바탕으로 연구와 파일럿을 수행하고 있다.

> ### 중앙은행 디지털 화폐는 은행계좌와 돈과는 어떤 차이점 ?
>
> 은행계좌의 돈은 현금과의 차이가 존재
>
> 은행의 약속 하에 돈을 지급하고, 관리하는 책임 기반
>
> 은행이 파산하게 되면, 지급능력의 문제가 발생하고, 손실 방지를 위해 돈을 인출하는 이슈가 있음

# CBDC와 가상화폐, 법정화폐 비교

CBDC는 가상화폐와 법정화폐의 장점을 혼합한 형태로 구성되어 있다. 발행기관 측면에서 가상화폐는 민간이 주도하지만, CBDC와 법정화폐는 중앙은행이 이를 담당하는 형태이다.

화폐 단위 기준으로, 가상화폐는 독자 단위이지만, CBDC와 법정화폐는 법정화폐 단위 기간으로 구성된다. 기반 기술면에서는 가상화폐와 CBDC는 블록체인 기술 기반이지만, 법정화폐는 제지, 인쇄술 기반이라는 차이점이 있다.

| | 암호화폐 | CBDC | 일반화폐 |
|---|---|---|---|
| 발행기관 | • 민간 | • 중앙은행 | • 중앙은행 |
| 발행규모 | • 사전에 결정 | • 중앙은행 재량 | • 중앙은행 재량 |
| 법률기반 | • 현재 없음 | • 중앙은행법 | • 중앙은행법 |
| 화폐단위 | • 독자 단위 | • 법정화폐 단위 | • 법정화폐 단위 |
| 교환가치 | • 시장 수요, 공급 기준 | • 액면가 고정 | • 액면가 고정 |
| 기반기술 | • 블록체인 등 | • 블록체인 등 | • 제지, 인쇄술 등 |

출처 : 신한금융투자

비트코인과 같은 가상화폐와 CBDC를 비교시, 암호화폐와 비슷하지만
중앙은행의 관리하에 안정적인 화폐 구성이 가능한 차이점이 있다.

# 제 2 장

## 디지털 화폐 (CBDC) 추진 현황

# 02 디지털 화폐(CBDC) 추진 현황

　전세계 중앙은행들은 금융 시스템을 현대화하고 국내외 결제의 효율성을 개선하기 위해, 디지털 화폐 개발을 검토하고 있다. 주요 기업과 개인 투자자들이 비트코인과 같은 가상화폐를 채택하고, 페이스북(Facebook)과 같은 민간 대기업들이 디지털 화폐 프로젝트를 추진하면서, 각국은 디지털 시대에 화폐에 대한 통제력을 유지하기 위해 서둘러 경쟁력 강화에 나서고 있다.

출처 : Ripple, The Future of CBDCs

2014년 이래 세계 곳곳에서 60개 이상의 중앙은행들이 CBDC를 연구 중이며, CBDC를 발행 할려는 시도가 이어지면서, CBDC 프로젝트는 빠르게 진행되고 있으며, 일부는 이미 실제 도입 단계에 진입한 프로젝트도 존재한다. 도입을 위한 CBDC에 대한 제도적 참여 및 생태계 전반을 지속적으로 강화하면서, CBDC 도입을 위한 준비에 박차를 가하고 있다.

2021년 1월에 발표한 국제결제은행(BIS)에서 조사한 보고서에 따르면, 전세계 중앙은행의 80% 이상이 CBDC 연구를 진행하고 있으며, 발행을 위한 디지털 화폐에 대한 시험을 진쟁 중으로, 향후 3년 내에 CBDC를 발행할 가능성이 있는 국가는 전 세계 5 분의 1 에 달할 것으로 예상하고 있다.

출처 : Consensys, BIS

그리고 설문조사 응답자의 46명 이상이 연구 보고서 또는 프로토타입을 출시하였으며, 글로벌 주요 중앙은행 중 일부는 소매 CBDC가 이미 사용되고 있는 케이스도 존재하고 있다.

CBDC 개발에 나선 국가는 주로 어디인가 ?  주로 인구가 적고 현금 이용이 크게 감소하거나 경제주체들이 금융서비스에 대한 접근성이 낮은 일부 국가 들을 중심으로 논의가 이루어지고 있는 상황이다.

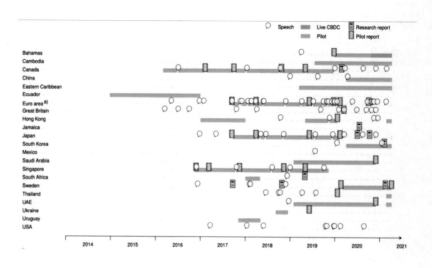

출처 : BIS Working Papers

스웨덴 중앙은행은 현금이용 비중 하락 등을 배경으로 CBDC 발행에 관한 연구 프로젝트를 진행하고 소액결제용 CBDC 시범사업을 진행 중이며, 중국은 CBDC 실험을 마치고 2022년 베이징 동계올림픽을 기점으로 CBDC를 중국 전면에서 사용할 계획 수립에 따라, 디지털 위안화(E-CNY) 애플리케이션 출시하여 운영하였으며, 일본도 지난 2022년 3월까지 1년에 걸쳐 CBDC 시범사업을 실시할 계획을 세우고 추진하였다.

한국 중앙은행인 한국은행도 지난 2020년 2월 전담 조직을 꾸리고, CBDC 파일럿 시스템 구축과 테스트 등을 위한 선행 연구에 돌입하였으며, 한국은행은 지난 2021년 8월 CBDC 도입에 대한 파일럿 테스트를 추진하기 위해, 사업자를 선정하여 테스트를 진행하였다. 이 테스트에서는 CBDC의 기능과 확장 가능성에 대한 평가를 통해 가능성을 확인하는 목적이었다.

## 글로벌 추진 현황

미국 외교 · 안보 싱크탱크 " 애틀랜틱 카운슬 "에 따르면 현재 전세계 110 개국 이상이 중앙은행 발행 디지털 화폐(CBDC) 도입을 검토하고 있다.

국제결제은행(BIS) 통계에 따르면 약 85 개국 중앙은행이 디지털 화폐(CBDC) 발행 프로젝트에 참여하고 있다. 중앙은행 싱크텡크인 ' 공적통화 · 금융기구 포럼 ' (OMFIF)은 최근 진행한 설문조사를 결과에서 20 여 개국이 향후 1 ~ 2 년 내 CBDC를 출시할 것으로 예상된다고 밝혔다.

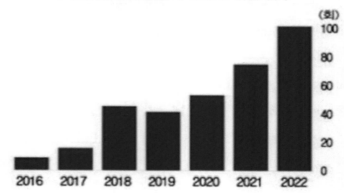

**각국별 중앙은행장의 CBDC 언급 횟수**

출처 : FT, 국제결제은행

글로벌 추진 현황은 소매(Retail)과 도매(Wholesale, Interbank[1])로 구분할 수 있으며, 첫번째로 소매 기반 추진현황을 보게 되면, 개발도상국 주도로 진전을 보이고 있는 상황이다. 소매용 CBDC는 우루과이, 바하마, 캄보디아, 중국이 선두를 차지하고 있으며, 터키, 스웨덴은 시범 운영 계획을 가지고 있다.

바하마는 샌드달러(Sand Dollar)와 캄보디아 바콩(Bakong[2])은 이미 실서비스를 시작하였으며, CBDC 소매 프로젝트 중 23%가 구현 단계에 도달 한 것으로 나타나고 있다. 소매 CBDC는 금융 포괄성과 금융 디지털 환경이 주요 원동력으로 추진되고 있다.

---

1 인터뱅크(Interbank)는 은행 상호관계 행하여 지는 거래
2 바콩(Bakong)은 블록체인 기반의 결제 시스템을 2020년 10월에 출시

다음으로 도매용 CBDC는 은행 간 결제 시스템과 선진국 주도로 진행되고 있는 상황으로, 아직 시범 운영 단계에 머물러 있으며, 전체 프로젝트 중 70% 는 파일럿 단계에서 진행되고 있다.

출처 : BIS Working Paper No 880, PwC

도매용 CBDC 프로젝트가 가장 집중하는 부분은 국경간 결제로, 중앙은행들은 국가간 연결성 및 프로젝트의 상호 운용성을 실험하기 위해 다른 중앙은행과 협력 형태로 진행되고 있다. 대표적으로 태국과 홍콩이 선도를 하고 있으며, 각각 CBDC 프로젝트인 인타논과 라이언룩을 추진 하며, 상호 협력 하고 있다. 그 외에 싱가포르 중앙은행과 캐나다 중앙은행, 유럽 연합은행과 일본중앙은행, 아랍에미리트 중앙은행과 사우디아라비아 중앙 은행 간에 협력을 통해 국경간 결제를 위한 도매용 CBDC 프로젝트를 상호 협력하에 추진 중에 있다.

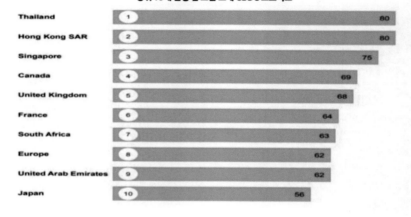

상위 10개 은행 간 또는 도매 CBDC 프로젝트

| | | |
|---|---|---|
| Thailand | 1 | 80 |
| Hong Kong SAR | 2 | 80 |
| Singapore | 3 | 75 |
| Canada | 4 | 69 |
| United Kingdom | 5 | 68 |
| France | 6 | 64 |
| South Africa | 7 | 63 |
| Europe | 8 | 62 |
| United Arab Emirates | 9 | 62 |
| Japan | 10 | 56 |

출처 : BIS Working Paper No 880, PwC

# CBDC 관련 대응 동향 (선진국)

중앙은행 디지털 화폐(CBDC) 관련해서는 중국이 빠르게 테스트 하고 실생활에 적용하기 위해 발빠르게 움지이고 있으며, 유럽국가와 영국, 일본이 CBDC 도입을 위한 연구 및 파일럿을 추진하면서 CBDC 효율성과 안정성, 보안 부분을 신중히 검토 중에 있다. 미국은 CBDC에 대해서 적극적인 행보를 보이지 않았지만, 최근 미국정부 차원에서 CBDC를 지원하면서, 이를 도입하기 위한 검토를 진행 중에 있다.

**스웨덴**

스웨덴 중앙은행, '현금없는 사회 구축 목표로 2017년 CBDC 전담조직 구성

연구 프로젝트 (e-크로나, e-Krona Project) 진행 중

**미국**

뉴욕연준 총재가 CBDC 발행이 불필요하다는 입장 표명 (2018년)

미 연준 '가상 디지털 화폐 '실험 중

**덴마크**

2016년 블록체인 기술을 이용한 디지털화폐 (E-Krone) 발행 검토

CBDC 도입에 대한 순편익 불확실성으로 발행계획 없다는 입장 발표

**중국**

중국인민은행, 2014년 특별 테스크 포스 배치

2020년 CBDC 프로토 타입 테스트 진행 및 테스트 서비스 영역 확대

**영국**

영란은행, 2015년 디지털 화폐 발행을 중요한 연구과제로 선정 및 연구 진행

구체적인 CBDC 발행 계획은 아직 없음

**일본**

일본은행, CBDC 발행 계획은 없음

실증실험은 추진할 계획으로, 2021년 개념증명 1단계 추진 예정 (발행, 유통, 타당성 검증, 파일럿 테스트 등)

출처 : 스웨덴 중앙은행, 덴마크 중앙은행, 영국 영란은행, 미국 중앙은행, 중국 인민은행, 일본 중앙은행

# CBDC 관련 대응 동향 (개발도상국)

　신흥시장 국가들이 중앙은행 디지털 화폐의 가장 적극적인 지지자인 이유는 경제 주체들의 금융서비스에 대한 접근성이 낮은 환경을 개선하기 위해서 이며, 분산원장 기술을 기반으로 디지털 화폐를 사용함으로써, 세금 징수와 추적성 개선을 통해 기존 금융 인프라의 획기적인 변화의 매개체로 인식하고 있다.

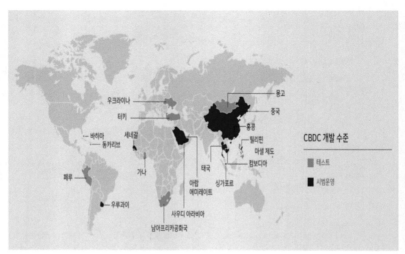

출처 : Get Ready for the Future of Money, Boston Consulting Group(BCG)

CBDC를 출시한 국가들에서도 도입은 단편적으로 이뤄지고 있다. 바하마 동카리브 자메이카와 함께 일반인을 위한 디지털 화폐를 도입한 4개 국가 중 하나인 나이지리아에서는 2021년 10월 출시 후, 1년여가 지난 현재까지도 0.5% 미만의 시민 만 E-나이라(e-Naira[3])를 사용하고 있다.

바하마는 대표적인 CBDC 공식 출시 국가로, 2019년 샌드달러(Sand Dollar)라는 프로젝트를 추진하여, 2020년 10월에 디지털 화폐를 공식적으로 출시 하였으며, 2021년 CBDC 연동을 위한 선불카드 발급을 위해 마스터카드 와 파트너십을 체결하였다.

---

3 e-나이라(e-Naira)는 나이지라아 중앙은행이 발행한 블록체인 기반 디지털 화폐

출처 : 바하마 중앙은행, 동카리브 중앙은행(ECCB), 마살제도 공화국 의회(SOV)

바하마의 모든 거주자는 모바일 애플리케이션이나 물리적 결제 카드를 통해 디지털 월렛을 사용할 수 있으며, 수입과 지출정보와 같은 일상 업무 중에 수집된 기록 기반으로 소규모 대출 신청 시, 참조될 수 있도록 하였다.

2022년 5월 IMF에서 낸 보고서에는 바하마에서 발행한 샌드달러(Sand Dollar)의 잠재력을 인정하면서도, 샌드달러(Sand Dollar)의 확장을 위해서는 강력한 보안 역량을 위한 보안 교육을 확대하고, 높은 보안 수준을 유지하기 위한 사이버 보안, 시스템 탄력성 등 내부 역량을 지속적으로 강화해야 한다고 강조했다.

6개의 카리브 제도 국가들과 2개 영국 해외영토가 연합해 설립한 통화 당국

동카리브 중앙은행(ECCB)은 2018년 3월 핀테크 업체 비트(Bitt Inc)와 MoU 를 체결하면서, 블록체인 기반 디지털 화폐 발행과 지급결제 플랫폼 개발을 위한 DXCD 프로젝트를 진행하였다. 이 프로젝트는 신용카드가 없는 시민을 위한 소매 결제 시스템과 가맹점 및 전자상거래를 저렴한 비용으로 지불하고 사용할 수 있도록 하는 것이 목표이며, 2020년 2월 IMF 동카리브해 통화 연합(ECCU)에 디지털 화폐 실험을 제안하였다.

동카리브 중앙은행이 발행하는 디지털 화폐인 디캐시(DCash)의 첫 소매업 거래가 2021년 2월에 시작되면서, 4월에 바하마에 이어 세계 두번째로 CBDC인 디캐시(DCash)를 공식적으로 출시하면서, 카리브해 8개 국가 중 세인트 키츠 네비스, 앤티카 바부다, 그레나다, 세인트 루이사 4개 국가에서 디캐시(DCash)를 사용할 수 있게 되었다. 동카리브에 공식적인 중앙은행 디지털 화폐의 사용범위를 확장하기 위해서, 2021년 12월 동카리브해 통화 동맹(ECCU)의 8개 국가 중 앵귈라를 제외한 7개국에서 디캐시(DCash)를 사용할 수 있게 되었다.

마샬제도 공화국(Republic of Marshall Islands)는 2018년 2월 마샬제도 공화국 의회에서 CBDC인 소버린(Sovereign, SOV) 발행을 위한 통화법안 (Sovereign Currency Act)을 통과시키면서, 현재의 지불 시스템의 효율성 개선을 위한 방안으로 SOV를 대체 디지털 화폐로 도입할 계획을 수립하였다. SOV를 발행하기 위해서 필수 요건을 정의하였는데, 법정화폐는 블록체인 기술에 기반을 두어야 하며, 화폐 공급량을 계획할 수 있어야 하고, 동시에

조작될 위험이 없는 조건, 법정화폐 프로토콜 자체가 규제에 부합되면서, 화폐를 이용하는 사용자들의 프라이버시가 보호되어야 하는 원칙이다.

이 프로젝트 추진을 위해서 개발 담당인 블록체인 기술 회사인 SFB 테크놀로지스가 알고랜드를 디지털 화폐 발행을 위한 블록체인 파트너로 선정하여 SOV 디지털 화폐를 추진하였다. 하지만, 2021년 3월 IMF는 SOV 발행이 마샬제도 공화국과 미국 중앙은행 및 시중은행과의 관계를 위태롭게 할 수 있다며, SOV가 테러 위험, 자금 조달, 외부 원조 등의 위험에 노출되며, 주요 금융 흐름을 방해하여 경제에 상당한 지장을 초래할 수 있음으로 인해, 신중한 접근이 필요하다는 입장을 발표하였다.

2023년을 기점으로 국가별 중앙은행은 내부 경제이익과 위험에 대한 종합적인 평가를 위해 실행하고, 검토를 위한 테스트를 적극적으로 진행하면서, 이전의 소극적이고 연구 목적의 행보에서 전환되는 시점을 맞이하고 있다.

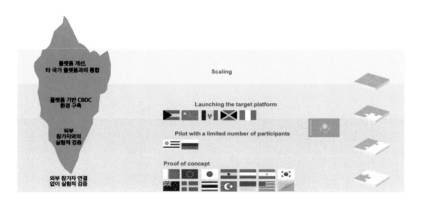

출처 : trendw

Atlantic Council의 CBDC Tracker에 따르면, 전세계 GDP의 98%를 차지하는 130개 국가의 중앙은행이 발행하는 디지털 형태의 법정화폐를 탐색하고 있다.

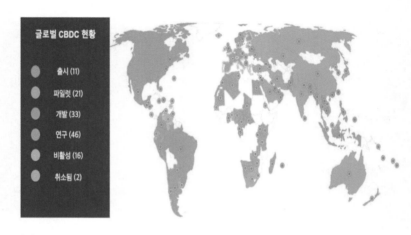

출처 : Altantic Council

글로벌 중앙은행의 93%가 CBDC 개발에 참여하고 있으며, 약 20%가 가까운 시일내에 디지털 화폐를 발행할 계획을 세우기 시작하고 있다.

2023년에는 대다수 글로벌 중앙은행이 소비자에게 직접 CBDC를 배포하는 대신, 민간 부분 은행과 결제회사와 협력하여 소매(Retail) CBDC를 발행하는 방안에 대해 지속적인 개발에 참여하고 있으며, 이를 지원하고 보완하기 위한 규제는 글로벌 금융 환경을 재편하고 있다.

CBDC는 국가 통화의 디지털 버전으로의 상당한 전환을 반영하여 대다수 글로벌 중앙은행의 초점이 되고 있으며, 이를 추진하고 지원하기 위해 다양한 접근 방식으로 추진되면서, 각 국가의 전략은 고유한 경제와 금융 상황에 맞게 조정되고, 신뢰성, 보안, 거시경제적 안정성 보장에 초점을 맞춰 진화하고 있다.

CBDC는 지속적으로 발전하고 구체화됨에 따라 규제기관과 중앙은행이 실제 발행하기 위한 프레임워크와 규제 프레임워크의 복잡성을 탐색하고 위험관리와 경제적 안정성의 균형을 맞추는 것에 중요함을 인지하고 있다.

이와 같이 대다수 중앙은행은 국가 내 기존의 법정화폐의 역할을 디지털 화폐로 전환하기 위해 적용 가능성과 위험 관리에 집중하고 있지만, 일부 중앙은행인 호주, 캐나다, 이스라엘, 스웨덴, 미국을 포함한 여러 국가의 중앙은행은 CBDC 출시에 대한 확정된 결정이 미진한 상태로, 이를 결정하는 데 몇 년이 더 걸릴것으로 보고 있으며, 이에 대한 주요 이유는 중앙은행이 CBDC를 시행할 근본적인 정당성이 존재하지 않는다면, 기술적 해결책이 효과가 있다는 근거가 명확하지 않기 때문이다.

# 제 3 장

## 디지털 화폐 (CBDC) 추진 사례

# 03 디지털 화폐(CBDC) 추진 사례

중앙은행 디지털 화폐(CBDC) 도입 논의가 시작되기 시작하면서, 이를 뒷받침하기 위한 기술적 한계로 구체화되지 못하는 상황에서 블록체인의 기술적 기반인 분산원장과 이를 활용한 가상자산 시장이 활상화되면서, CBDC에 대한 관심이 증가하고, 페이스북(Facebook)의 리브라(Libra) 프로젝트 출범으로 인해, 전세계 규제 당국과 중앙은행들이 위기감이 커지게 되었다. 이러한 위기감으로 인해, 기존 전세계 국가들은 공동으로 추진 중이던, 복수의 법정화폐에 연동해 단일 글로벌 화폐를 개발하는 프로젝트의 기본 방향을 전격 수정하는 상황이 도래하게 되었으며, 미국 민주당과 전세계 규제 당국의 우려하는 상황에 부딪히면서, 기존의 기본 계획을 수정하는 상황을 맞이하게 되었다. 각각의 법정화폐에 연동한 스테이블 코인(Stable Coin)을 잇달아 출시하는 상황에 대응하기 위해, 개인 간에 또는 국제적으로 기존의 통화를 좀 더 쉽게 사용할 수 있는 방법을 개발하는 방향으로 계획이 수정 되었다.

리브라(Libra) 프로젝트는 22억 명의 가입자를 보유한 페이스북(Facebook) 중심의 글로벌 기업 연합체가 주도하는 형태이다. 당초 전세계 통용 가상자산인 리브라(Libra) 발행을 통해 글로벌 금융 접근성을 높이겠다는 목표를 내세웠지만, 화폐의 주도권이 민간으로 넘어가는 걸 우려한 각국 정부의 반대와 규제로 인해, 기존의 계획에 대한 방향성을 틀어야 했다.

민간기업이 정부의 전유물로 여겨지던 화폐 권력을 위협할 수 있게 된 디지털 환경의 변화는 여러 국가에 큰 충격을 주었으며, 현재 가장 앞선 CBDC 기술을 보유한 것으로 추정되는 중국 역시 리브라(Libra) 사건 이후, CBDC 연구에 박차를 가하기 시작한 계기가 되었다. 페이스북(Facebook)은 블록체인 기술을 기반으로 디지털 금융 사업에 본격적으로 진출하겠다는 계획을 발표하면서, 각국 규제 당국과 금융기관으로 부터 기축 통화 및 기존 금융 시스템의 안정성을 침해하게 될 것이라는 우려가 제기됨으로 인해, 페이스북(Facebook)이 가진 상업적 가치를 적극적으로 사용하여 디지털 결제 플랫폼 으로서의 역할을 강조하는 것으로 목표를 전환하였다.

리브라(Libra) 프로젝트의 용도는 개인간 송금, 온·오프라인 상거래 등에 사용하는 것이 목적이며, 주요 특징은 달러를 기반으로 하는 스테이블 코인 (Stable Coin) 형태의 디지털 화폐를 개발하고, 송금, 결제, 유보금, 금융, 데이터 영역에 활용할 계획이다. 참여 기업은 우버, 이베이, 비자, 마스터, 페이팔 등 27 업체가 참여하고 하였으며, 향후 100 개 이상의 기업이 참여 할 것으로 전망하였다.

하지만 리브라(Libra) 프로젝트는 미국과 영국 정부의 규제와 스테이블 코인(Stable Coin)의 출시가 무기한 연기되는 상황에 직면하였으며, 이와 더불어 프로젝트의 총책임자가 사퇴하는 등 프로젝트를 추진하는데 악재가 계속해서 발생함에 따라, 프로젝트를 잠정 중단하게 되었다.

| 페이스북의 가상화폐 플랫폼, 리브라(Libra) | |
|---|---|
| 출시시기 | 2020년 |
| 용도 | 개인간 송금, 온오프라인, 상거래 등 |
| 예상 이용자 | 23억명 |
| 목표 | 세계단일화폐 및 금융소외계층에 금융서비스 제공 |
| 참여 기업 | 우버, 이베이, 비자, 마스터, 페이팔 등 27업체 참여 |
| 주요 특징 | 달러를 기반으로 하는 디지털 화폐<br>1. 송금 2.결제 3. 유보금 4. 금용 5. 데이터 |

출처 : Facebook

# CBDC 유즈 케이스 (Use Cases)

CBDC가 미래의 새로운 화폐의 대안으로 부각되면서, 각 국가별 중앙은행 주도로 CBDC를 연구하고 검토하여, 실생활에 적용 가능한지 여부를 다양한 방안으로 추진하고 있으며, 이미 실생활에 적용한 사례도 존재하는 등 적극적인 행보를 보이고 있다.

중앙은행, 민간부분, 최종 사용자의 관점에서 CBDC를 도입하고자 하는 이유는 결제 및 판매 시점에서 현금에 대한 수요가 급격히 감소에 따른 대응이 필요하게 되었으며, 그와 더불어 500 여 개의 디지털 결제 및 화폐 기업 설립이 급속히 증가하면서, 이에 대처하기 위한 효과적인 방안이 필요하게 되었다.

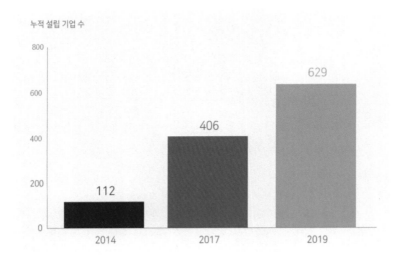

출처 : BCG Report

CBDC를 검토하는 사례는 손쉽게 금융서비스를 사용할 수 있는 환경 제공과 금융 시스템에서 상업은행과 같은 중개자를 제거하는 것이며, 금융 시장에 재정에 대한 안정적 지원, 신흥국의 통화 정책 지원을 위한 새로운 수단으로 부각되면서, 선진국 보다 개발도상국에서 적극적으로 CBDC를 도입하기 위해 빠르게 움직이고 있다. 선진국은 글로벌 차원의 테스크 포스를 구축하거나, 대체 결제 수단의 활성화와 시장의 급속한 성장으로 인한 대응 방안으로 CBDC를 연구하고, 파일럿 형태로 테스트를 통해 적합한 가이드 라인을 찾아가고 있다.

국가별 중앙은행이 추진하고 있는 CBDC 추진 사례를 한번 알아보도록 한다.

페이스북(Facebook)의 암호화폐 리브라(Libra) 발행 계획과 리브라 (Libra)와  같은 비법정통화가 급속히 보급되면서, 기존의 중앙은행들은 위기감을 느끼 됨으로 인해, 일본은행을 비롯한 세계 주요국 중앙은행들이 공동으로 디지털 화폐에 대한 공동연구를 시작하기 위해, 그룹을 2021년 1월에 설립하게 된다.

일본은행과 유럽중앙은행, 영국중앙은행(BOE). 스웨덴 중앙은행, 스위스 중앙은행, 캐나다 은행 등 6개 중앙은행과 국제결제은행(BIS)는 " 중앙은행 디지털 화폐의 활용 가능성 평가"에 관한 의결을 공유하기 위해 연구를 시작 하였으며, 먼저 공통된 CBDC 플랫폼과 규칙을 제정하고, 이를 운영해 본 후 다른 국가에도 점진적으로 적용한다는 개념을 세우고, 중앙은행 디지털 화폐 활용 방식, 국경 간 자금 거래, 상호 운용성을 포함한 경제적 측면과 기능, 기술면을 평가하는 동시에 최신 기술에 대한 의견을 수렴하는 방식을 채택 하였다.

특히, 일본은행이 서유럽 중앙은행들과 손잡고 공동연구조직을 설립한 배경에는 가상화폐를 둘러싼 중앙은행 차원의 위기감과 중국의 가속화 되고 있는 디지털 위안화에 대응하기 위한 목적이 크게 작용하였다.

출처 : BIS, Bank of Japan

## 국제결제은행(BIS)

국제결제은행(BIS)는 홍콩통화청(HKMA)과 공동으로 진행하는 프로젝트인 오럼(Aurum)을 위한 도매 은행간 시스템, 전자지갑과 소매 CBDC 프로토타입을 완성하였으며, 그 다음 단계로 CBDC를 활용한 소매 결제의 개인정보 보호를 연구하는 단계를 추진하였다.

국계결제은행(BIS)는 2024년 1월에 토큰화 프로젝트를 발표하였으며, 이 프로젝트에는 사이버 보안, 금융범죄 퇴치, CBDC와 녹색 금융 문제를 탐구하는 6개의 새로운 프로젝트가 포함되어 있다.

국제결제은행(BIS) 혁신 허브는 중앙은행 디지털 화폐(CBDC)의 개인정보 보호 테스트 2 단계를 진행하고, 2024년에 블록체인 기반 토큰화 프로젝트를 시작하여, 스위스 국립은행과 세계은행 간에 협력하여 디지털 토큰화된 약속 어음 플랫폼의 개념증명(PoC) 구축을 추진중이다. 약속어음은 대부분이 종이 기반으로 구성되어 있는 구조를 디지털화 하는 방안으로 디지털 화폐를 통해 개선하는 부분에 대해 2025년 초까지 진행할 계획이다.

## 일본 중앙은행(BOJ)

일본 중앙은행은 " 중앙은행 디지털 통화 관한 일본은행의 대처 방침 "을 발표하면서, CBZDC 추진계획을 3 단계로 수립하여 추진하는 것으로 계획을 세우고 단계별 CBDC 실증실험을 진행하고 있다. CBDC 추진 계획 3 단계 중, 첫 단계로 2021년 4월 부터 2022년 3월 까지 CBDC 발행과 배포, 상환 영역에 대한 기술적 타당성 테스트를 시작하였다. 2 단계로 일본 은행과 예금주 사이에 기관이 중개 역할을 하고, 각 참여 기관이 보유할 수 있는 CBDC에 대한 제한설정 기준 등 세부적인 기능에 대한 실험을 계획 하고 추진하였다.

일본 중앙은행은 현재의 일본 금융산업이 금융권이 아닌 민간업체들의 온라인 결제 수단 제공으로 인해 큰 변화를 겪고 있는 상황으로, 디지털 엔화를 통해 시중은행을 중개인 역할 구조로 설계하여, 은행 중심으로 전환을 통해 일본의 금융산업을 재정립할 수 있는 기회로 활용하기 위해 적극적인 행보를 보이고 있다. 디지털 엔화는 코로나 19 팬데믹 여파와 도쿄 올림픽의 연기로 인해 양적 완화 정책과 일본 경제의 고질적인 문제를 해결할 수 있는 효과적인 방안으로 시각이 전환됨에 따라, 디지털 엔화를 통한 일본 경제의 재부활을 꿈꾸고 있다.

**일본 중앙은행**

디지털화폐(CBDC) 발행을
바로 결정하지는 않지만,
디지털 엔화 발행이 금융기관에
어떤 영향을 미칠 지에 대한
논의를 불러일으킬 수 있을 것

**일본 자민당**

디지털화폐위원회 위원장
무라이 히데키가 "내년
말쯤이면 디지털 엔화의
윤곽이 드러날 것 (2021.7.5)

출처 : Bank of Japan

일본 중앙은행은 중국의 대규모 파일럿 프로젝트 방식이 아닌, 스웨덴 중앙은행이 추진하고 있는 방식인 순차적으로 진행하는 벙법과 유사한 형태의 CBDC 모델을 만들어 추진하는 방식으로 진행할 계획을 수립하였다.

2022년 일본 중앙은행은 디지털 엔화 발행을 위한 3 개 대형은행 및 지방은행과 실증실험을 하기 위한 협의를 시작하면서, 약 2 년 동안의 실증 실험 후, 2026년에 디지털 화폐 발행 여부를 판단하는 계획으로 민간 기업과의 시범 프로그램을 통해, 디지털 화폐 설계를 개선하는 목적 기반으로 시중은행 뿐만 아니라 비은행 결제 기업 및 운송 업체와도 모의 거래를 수행하기 위한 시범사업을 시작하였다.

일본 중앙은행이 2021년 4월 부터 2022년 3월까지 개념증명(PoC) 1 단계를 수행하여 중앙은행 디지털 통화(CBDC)에 대한 여러 설계 대안을 사용하는 실험환경을 구축하였으며, 2022년 4월 부터 2023년 3월 까지 진행된 개념증명(PoC) 2 단계에서는, 1 단계에서 구축한 CBDC 원장의 기본 기능에 기술적인 문제를 확인하고, 개선하는 기능을 추가하는 방향으로 진행되었다.

개념 증명(PoC) 2 단계는 추가적인 기능에 대해 세가지 개별 블록으로 평가되었으며, 평가 결과는 처리성능과 기술적 타당성 측면에서 검토되었다. 개념 증명(PoC) 2 단계에서는 유연한 가치 토큰 모델(NoSQL)을 기반으로 액면가의 화폐 데이터에 고유 식별자(ID)를 부여하고, CBDC 보유 현황을 알 수 있는 모델을 채택하였다.

| 경제적인 디자인 금융 시스템의 안정성을 보장하는 안정장치 | ● 보유 한도<br>● 금액 및 거래 횟수 제한<br>● 스윙(Swing) 기능 - 보유한도 초과금액을 은행예금 등으로 자동 전환 또는 사용자 속성 기반 송금 영수증을 은행예금 등으로 자동 전환<br>● 보유 지분에 대한 적용 |
| --- | --- |
| 결제 편의성 개선 | ● 사용자의 예정된 송금 지시<br>● 사용자 요청 시 일괄송금 및 풀결제 기능 |
| 중재자 간 조정 / 외부 시스템과의 연결 | ● 한명의 사용자에게 여러 계정 제공<br>● 위의 가정에 따른 사용자별 보유 한도 및 거래 금액 / 횟수<br>● 외부 시스템과의 연결 방법 |

출처 : Bank of Japan

개념증명(PoC) 1 단계에서 구축한 원장 시스템외에 거래 금액, 회수 한도 확인 시, 거래 금액과의 건수를 참조하는 거래 기록 관리 시스템과 거래 요청을 자동으로 활성화하는 예약 관리 시스템을 추가하여 거래를 순차적으로 처리하는 접점 역할을 하며, 각 시스템의 계좌 처리 처리 현황을 관리하여 시스템 간 데이터 일관성을 보장하며, 원칙적으로 특정 거래가 실행되는 동안 다른 거래가 처리되지 않도록 구성하였다.

단계별 개념증명(PoC)을 추진하면서 나온 결과를 기반으로, 2023년 4월부터 디지털 엔화 시범 사업을 추진하여, CBDC 생태계 모델을 검증할 목표로 추진 중에 있으며, 실제 소매 거래는 시행하지 않고, 시뮬레이션 기반 가상 거래만을 진행할 계획을 세우고, 추진하고 있다.

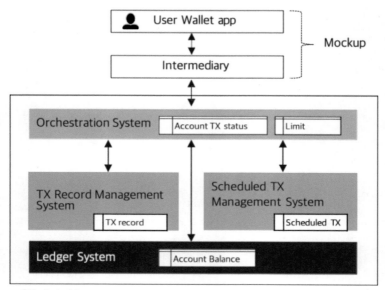

출처 : Bank of Japan

## 미국 중앙은행(FED, Federal Reserve)

미국은 코로나 19 경기 부양차원에서 성인 1 인당 1,200 달러(약 145만원), 아동 1 인당 500 달러(약 60만원)의 지원금을 지급하였으나, 지원금 전달과정에서 약 3,500 만명이 지원금을 은행계좌로 직접 받지 않고 종이 수표로 받았는데, 지원금이 가장 필요한 사람들이 종이 수표를 입금하지 못할 수도 있다는 우려가 발생하면서, 통화 · 결제 시스템의 문제가 도마에 오르며, 미국 금융 인프라 개선이 불가피하다는 목소리가 높아지고 있는 상황에 직면하게 되었다.

미국 금융 인프라를 개선하는 방안으로 미국 중앙은행(Fed)는 메사추세츠 공과대학(MIT)와 공동으로 디지털 화폐 연구를 시작하게 되었으며, 디지털 달러가 정부의 탄력적인 통화정책 운영을 가능하게 하고, 세계경제에서 달러의 지배력을 유지하는데 도움이 될 수 있다는 관점에서 중앙은행 디지털 화폐(CBDC)의 잠재적 편익 뿐만 아니라, 잠재적 위험도 같이 살펴본다는 의미로 광범위한 현안들에 CBDC를 검토하겠다는 신중한 입장을 내세웠다.

2022년 1월 연방준비제도(Fed)는 " 돈과 지불 : 디지털 전환 시기 미국 달러(Money and Payments : The U.S Dollar in the Age of Digital Transformation " 이라는 보고서를 발표하면서, 정부와 의회가 CBDC 도입을 확실하게 찬성하고 지원하지 않는 한 독자적으로 CBDC 도입을 추진해 나가지는 않을 것이라는 입장을 재확인하는 차원이었다.

그리고 2022년 2월 Boston Fed와 MIT Digital Currency Initiative는 CBDC 프레임을 기술적으로 설계하고 테스트한 "Hamiltion Project 1 단계" 공동 연구 보고서를 발표하였다. 이들 보고서에는 CBDC에 대한 미국의 입장이 관망에서 최고의 시급성(highest urgency)으로 변화하고 있음을 시사하고 있으며, 민간 디지털 화폐인 스테이블 코인이 급부상하면서 자산과 통화의 디지털화라는 금융 패러다임 변화의 문맥에 따라 디지털 달러(Digital Dollar)를 고려하기 시작하였으며, CBDC가 국제 기축통화와 결제 수단으로서의 달러의 지위, 지정학적인 경쟁, 그리고 국가 안보까지 영향을 미치는 중대한 사안으로 인식하기 시작했다는 것을 언급하였다.

CBDC 논의에 본격적으로 정부 차원에서 시작된 것은 2022년 3월 9일 조바이든 대통령이 CBDC 도입 방안을 연구 검토해 보고서를 제출하라는 행정명령을 내리면서부터 입장의 변화가 발생하였다. 행정 명령에 따라 미국 재무부가 2022년 9월 디지철 화폐 연구보고서를 발간하면서 디지털 달러에 관해 더 많은 연구가 필요하다는 의견을 내면서, CBDC의 익명성은 현금 대비 자금세탁, 테러자금 조달 등에 노출된 리스크가 큰 반면, 감독 개선 및 AML[1]/ CFT[2] 규정과 관련된 새로운 기회를 가져다 줄 수도 있으며, CBDC 연구가 국가 이익에 부합한다고 판단되는 경우, CBDC 추진을 계속해야 한다는 입장을 내세웠다.

2023년 미국도 전 세계적 대세인 중앙은행 디지털 화폐(CBDC) 개발에 적극적으로 참여하기 위한 기반을 마련하기 위해, 미국 재무부와 연방 정부간 잠재적인 CBDC에 대한 논의가 가속화되고 있으며, 관련 업계와 정부의 직접적인 논의가 시작되었다.

CBDC의 추진 속도는 더디게 진행되고 있지만, CBDC가 국가에 분영한 이익을 제공하고, 글로벌 측면에서 달러의 영향력을 유지하는데 도움이 되며, 국경 간 거래의 마찰을 줄일 수 있다는 것을 인지하고, 영국 중앙은행이 추진되고 있는 CBDC 발행 계획과 유사한 형태로 진행될 예정이다.

---

1 AML(Anti-Money Laundering)은 자금세탁방지
2 CFT(Combating the Financing of Terrorism)는 테러자금조달 방지

# 영국 중앙은행(BOE, Bank of England)

영국 중앙은행(BOE)는 재무부와 CBDC TF를 구성하고 " 브리트 코인 " 발행 계획에 대한 검토를 공식화 하면서, 2020년 6월 12일 부터 2020년 12월까지 은행, 기술 업체, 결제 산업, 학계 등에서 CBDC에 대한 의견을 공개적으로 수렴하면서, 금리가 마이너스까지 내려간 상황과 세계 경제의 큰 위기 상황에 대응하고 마이너스 금리의 효과 증명을 위해서 본격적으로 검토를 시작하였다.

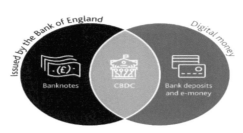

- "금리가 마이너스까지 내려간 상황에서 세계 경제에 큰 위기 대응 및 마이너스금리의 효과 증명을 위해, CBDC 검토 시작

- CBDC는 중앙은행이 발행하던 현금을 디지털화한 것으로 발행량 조절, 통화흐름 추적이 용이해 중앙은행의 권한을 강화하는 수단

- 현금을 디지털화하면 더 이상 현금을 인출해 금고에 넣어둘 수 없기 때문에 마이너스금리가 실제로 소비와 투자를 유발할 수 있다는 점에 주목

출처 : Bank of England

영국 중앙은행은 브리트 코인[3]이 지폐나 동전과 같은 현금이나 기존의 은행 계좌를 대체하지는 않을 것으로 예상하면서, 2021년 재무부와 영국 중앙은행인 영란은행이 중앙은행 디지털 화폐의 가능성에 대한 탐구 작업을 공동 수행할 테스트 포스팀을 출범시켜, 업계, 시민사회, 학계 등 인사들과 함께 CBDC 포럼을 조직해 CBDC 관련 전략적, 기술적 의견을 논의했다.

2022년 1월 영국 중앙은행(BOE)는 중앙은행 디지털 화폐(CBDC)를 보고 하한하는 가상화폐 지갑 개념증명(PoC) 프로젝트에 참여할 샘플 지갑에 대한 공모를 시작하면서, 본격적인 디지털 파운드 프로젝트를 위한 준비 작업을 시작하였다. 공모한 가상화폐 지갑은 CBDC를 로드, 업로드 하는 기능과 계정 아이디와 QR 코드를 통해 개인 간 (P2P) 결제 기능을 포함하고 있다. 2023년 3월 디지털 파운드 시범 프로젝트를 공식적으로 시작하면서, 프로젝트 기간 동안 새로운 결제 시스템과 화폐로서의 잠재력을 검증할 목표를 기반으로 영국 중앙은행이 디지털 파운드화를 민간이 아닌 직접 발행, 관리할 것이며, 기업은 물론 일반 시민들에게 일상적인 지불 용도로 사용할 수 있는 새로운 형태의 디지털 화폐를 구현하기 위해 프로젝트를 추진 중에 있다.

영국 중앙은행과 재무부는 2023년 2월 발행된 디지털 파운드에 관한 협의 문서에 대한 답변을 발표하였다. 이 발표에는 디지털 파운드가 현금, 기존 형태의 화폐 또는 직불 카드나 신용 카드와 같은 결제를 대체하지는 않을 것으로 보고 있으며, 디지털 파운드가 출시되더라도 현금을 계속 사용할 수

---

3 브리트 코인(Britcoin)은 영국의 비트코인으로 불리며, 금융거래를 위한 분산되고 안전한 플랫폼을 제공하는 것을 목표로 하는 디지털 통화

있도록 현금에 대한 접근을 보호하기 위한 법률을 재정하여 보장하는 것이다. 영국 중앙은행은 시범 프로젝트를 단계적으로 추진하여, 2025년에 설계 단계가 끝난 시점에 CBDC의 공식적인 출범을 결정할 계획이다.


## 유럽 중앙은행(ECB)

유럽 중앙은행(ECB)는 디지털 유로 컨설팅 추진을 발표하면서, 공개 컨설팅 참여와 관련된 은행의 개인 기록인 공공 디지털 유로 상담을 위해서 8,200 명 이상을 대상으로 컨설팅을 진행하였다. 컨설팅에 참여하는 시민과 전문가, 특히 상인과 기타 회사 모두가 개인정보 보호를 컨설팅 응답자 중 43%가 디지털 유로의 가장 중요한 기능으로 보고 있으며, 전체 유로전에 대한 필요 부분을 보안 18%, 지불 능력을 11%, 그리고 추가 비용절감 9%, 오프라인 사용을 8% 순으로 선택하였다.

하지만, 소매용 CBDC가 현재 상황이나 미래 상황을 검토하였을 때, 게임 체인저로 부각될 수 있다고 판단하였으며, 발행 주체에 대한 법적 근거, 익명성, 자금세탁 등 다양한 소매용 CBDC의 옵션 관련 조사를 통해 디지털 유로가 점차 가시화되는 양상으로 전개될 것으로 컨설팅 결과를 발표하였다.

유럽 중앙은행은 2022년 5월 공식 홈페이지를 통해, 디지털 유로가 개인간 (P2P) 지불 체계 형태로 2026년 안으로 출시 될 수 있다는 의견을 내면서,

2023년 부터 유럽연합(EU) 회원국을 대상으로 하는 디지털 유로 개발 테스트를 시작할 계획을 수립했다. 2023년 1월 디지털 유로 프로젝트와 관련된 CBDC 규정집 작성을 위한 실무 그룹을 구성하기 위해 소비자, 기업, 은행, 페이먼트 업체 등의 참여자를 모집하여, 실무 그룹 멤버를 선정 하였으며, 2023년 3분기 까지 디지털 유로 연구 결과를 검토한 후, 실현 단계 진행 여부를 판단하기 위해 2023년 11월 부터 2년 동안 테스트, 실험, 지속적 인 이해관계자 협의에 초점을 맞춘 디지털 유료 프로젝트의 준비단계로 넘어 갈 것이라고 발표하였다.

유럽 중앙은행, 디지털 유로 컨설팅 결과 발표 (2021.4)

- ECB 집행위원회가 디지털 유로화 추진 여부를 결정할 것
- 약 5년 후면 디지털 유로화 를 사용할 수 있을 것으로 예상

출처 : EUROPEAN CENTRAL BANK

유럽 중앙은행(ECB)는 디지털 유료가 실제 현금과 기타 전자결제 수단과 공존하여 사용자에게 더 많은 결제 옵션을 제공할 것으로 보고 있으며, 외국 결제 서비스 제공업체에 대한 의존도를 해소하고 유럽의 회복력을 강화하기 위한 것으로 유럽 거버넌스, 자체 인프라와 범유럽 서비스를 위한 플랫폼을 구성하는 것으로 목표로 하고 있다.

디지털 유로는 유로 지역 거주자가 사용할 수 있도록 설계되어, 디지털 유로 서비스 제공자를 선택할 수 있으며, 잠재적으로 비유로 지역 국가에 거주하는 사람들에게도 확장될 수 있는 구조로 구성되어 있다.

디지털 유로는 유럽 중앙은행(ECB)의 승인을 받아 유로 시스템에서 발행되는 구조로 법적 입찰 지위를 부여받게 되어, 수취인이 디지털 유로 결제를 수락하도록 의무화 할 것이며, 의무적 수용과 관련 이행을 모니터링하고 관리하기 위해 회원국이 국가 관할 기관을 임명하도록 요구조건을 명시하고 있다.

디지털 유로는 먼저, 유로 지역 거주자 또는 바이저에게 제공될 예정이지만, 유럽 중앙은행(ECB)와 비유로 지역 회원국이나 EU의 국가 중앙은행간의 양자 합의에 따라 유로 지역외 지역은 이후 단계에서 제공될 예정이다.

디지털 유로는 온라인과 오프라인 모두에서 사용할 수 있도록 구성하는 방안으로 유럽 중앙은행(ECB)는 2026년에 디지털 유로를 발행할 계획을 발표하면서, 테스트를 진행하고 있다.

# 프랑스 중앙은행(BDF)

프랑스 중앙은행인 프랑스 은행(BDF)은 새로운 기술의 잠재력을 테스트하고 금융시장의 기능과 은행 간 결제방식을 개선하기 위해 CBDC 실험을 시작하였으며, 이 중에 프랑스, 네덜란드 등 유럽 주요국들은 디지털 유로 개발에 적극적인 상황이다. 이들 국가의 행보 이면에는 자신이 디지털 유로 개발을 주도하겠다는 야심이 있으며, 프랑스 중앙은행(BDF)은 기관이 대상인 도매용 CBDC에 대한 연구를 먼저 시작하면서, 토큰화된 금융자산의 청산과 결제를 위한 디지털 통화의 이점을 밝히는 것을 목표로 추진되었다.

프랑스 대형 금융사인 소이에데제네랄과 함께 유로화 디지털 증권을 생성하고 유로화 기반 CBDC로 인수 비용을 결제하는 실험을 진행하였으며, 이를 지원하기 위한 플랫폼으로 리플(Ripple)을 디지털 유로 발행 플랫폼으로 선택하였다. 이 플랫폼 상에서 거래가 디지털 유로에 대해 직접 전송 대 지불(DvP[4]) 방법을 통해, 즉시 정산 되었기 때문에 디지털 보안 발행의 주목할 만한 이정표가 될 것으로 판단하여 소시에테 제네랄(Societe Generale[5])과 협력을 통해 End-To-End 블록체인 인프라를 기반으로 디지털 증권 발행을 정산하는 테스트를 수행하였다.

---

4 DvP(Delivery Versus Payment)는 증권, 대금 동시결제로 모든 거래 당사자로 부터 대금이 확보된 경우만 결제가 이루어지도록 하여 결제에 대한 원금 리스크를 제거하는 방식

5 소시에테 제네랄(Societe Generale)은 프랑스의 대표적인 은행 중 하나로 프랑스 최초로 가상화폐 서비스 사업자 허가를 받았음

프랑스 중앙은행(BDF)은 2021년에 스위스 중앙은행과 CBDC에 대한 시험 운용 성과에 대해 발표하면서, 거액 은행간 거래를 목적으로 도매형 디지털 화폐를 시범 유통하고 인프라를 구축하였으며, 분산원장 플랫폼의 기술 실증 뿐만 아니라 국경간 결제에 문제가 없는지 확인하는 절차를 포함하였다.

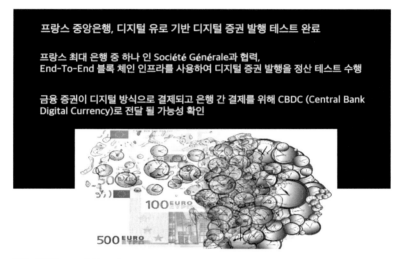

**프랑스 중앙은행, 디지털 유로 기반 디지털 증권 발행 테스트 완료**

프랑스 최대 은행 중 하나 인 Société Générale과 협력,
End-To-End 블록 체인 인프라를 사용하여 디지털 증권 발행을 정산 테스트 수행

금융 증권이 디지털 방식으로 결제되고 은행 간 결제를 위해 CBDC (Central Bank Digital Currency)로 전달 될 가능성 확인

출처 : BDF(Banque de France)

2022년 유럽 투자은행(European Investment Bank, EIB)이 블록체인 기반 유로화 디지털 채권을 발행하면서, 프랑스 중앙은행(BDF)과 룩셈 부르크가 CBDC로 채권을 구매하는 디지털 채권 시스템을 구축하였다. 이 디지털 채권 시스템은 비너스라는 프로젝트로, 프라이빗(Private) 블록체인 기반 디지털 네이티브 채권 발행으로 골드만삭스, 산탄데르, 소이에테 제네랄과 협업하여 당일 결계를 실현하는데 성공하였다.

이번에 구축한 디지털 채권 시스템은 도매용 CBDC인 국가 간, 통화 간 지불 개선에 크게 기여할 것으로 예상하고 있다.


## 스웨덴 중앙은행(Swedish Riksbank)

글로벌에서 가장 오래된 은행인 릭스방크(Rlksbank)인 스웨덴 중앙은행은 2016년 부터 CBDC 도입 필요성 논의를 시작하였으며, 2017년에 E-크로나 (e-Krona) 디지털 화폐 기반 프로젝트를 추진하였다.

스웨덴 중앙은행은 현금이용 비중 감소 등을 배경으로 CBDC 발행에 관한 연구 프로젝트를 진행하고, 소액결제용 CBDC 시범사업을 진행 중이다. 스웨덴의 현금 의존도는 2018년 기준 국내총생산(GDP)의 1%에 불과하며, 신용카드나 직불카드, 모바일 결제를 주로 사용하는 상황으로, 현금결제 비중은 20%로 전세계에서 현금 의존도가 가장 낮은 나라로, 디지털 화폐를 통해 무현금 사회를 중앙은행 관리하에 전환하고자 하는 의지가 큰 국가이다.
E-크로나(e-Krona) 프로젝트는 사용자가 모바일 앱과 같은 디지털 지갑을 통해 예금, 인출, 결제 등 일상적인 은행업무를 디지털 화폐로 이용 할 수 있도록 하는 목표를 세웠다. E-크로나(e-Krona) 프로젝트 1 단계로 엑센츄어(Accentue) PLC 와 협력하여 2020년 부터 2021년 2월 까지 CBDC의 기본적인 기능을 구현하고 가능성을 확인하는 개념증명(PoC)를 마치고 결과보고서를 공개하였다.

출처 : BDF(Banque de France)

이번 1단계에서 구축한 E-크로나(e-Krona) 시스템은 블록체인 전문
업체인 R3가 개발한 코다(Corda) 플랫폼 기반으로 구축되었으며, 은행 중앙
지불 시스템인 RIX와 연계를 통한 유동성 공급 등 핵심 기능에 대한 모의
실험을 진행하고, 참여 유통기관, 최종 사용자, 모바일 앱 등에 대한 점검도
수행하였다. 다음 단계로 2021년 4월 부터는 E-크로나(e-Krona) 테스트
2단계로 대규모 도입에 필요한 관련 기술을 테스트하고 잠재적인 규제
프레임워크를 연구하는 목적으로 오프라인 환경 작동 가능성과 결제 솔루션
의 성능 테스트, 기존 은행 네트워크에 연계 가능성에 대한 실험이 진행하여
2022년 4월에 완료하였다.

E-크로나(e-Krona)에 대한 발행 여부는 아직 결정하지 않은 상태이지만, 차후 진행할 3 단계 실험에서 E-크로나(e-Krona)의 필요사항을 연구할 예정이다. 그리고 스웨덴 중앙은행 릭스방크는 국게결제은행(BIS)가 주도하는 국제결제 및 송금 테스트 프로젝트인 아이스브레이커(Icebreaker)에 참여 하였으며, 2022년 8월 이스라엘, 스웨덴, 노르웨이 중앙은행과 협력한 중앙은행 디지털 화폐(CBDC)의 국제 결제 및 송금 테스트 프로젝트를 종료 하였다.

이 프로젝트는 각 국가들의 CBDC 시스템을 연결하는 기술의 테스트를 목표로 진행되었으며, 기술적 타당성과 효율성을 분석하는 것이 주요 목적이었다. 아이스브레이커(Icebreaker) 프로젝트는 여러 국가 소매 CBDC 시스템의 상호 연결을 위한 핵심 기능 및 기술을 테스트하였고, 소매 CBDC를 통해 적은 비용으로 즉각적인 결제를 실행할 수 있는지 여부를 검증하였다.

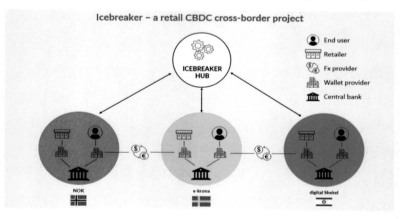

출처 : 아이스브레이커 프로젝트, BIS

# 러시아 연방 중앙은행(The Bank of Russia)

러시아 연방 중앙은행은 2020년 10월에 디지털 루블화 개발에 관한 자문서를 발행하며, 본격적인 검토에 착수하면서 2020년 말 CBDC 계획을 공식적으로 발표하였으며, 상품과 서비스에 대한 비용을 지불하는데 사용할 수 있는 디지털 루블을 구상하는 광범위한 협의를 시작하였다.

빠르고 값싼 결제 시스템에 대한 필요성 대두로 인해, 러시아 연방 중앙은행이 발행하는 중앙은행 디지털 화폐(CBDC) 발행 계획 관련하여 시범 프로그램을 시행하기 위한 계획을 수립하였다.

2021년 12월 까지 " 디지털 루블 " 플랫폼에 대한 프로토타입을 구축하고, 2022년 1월 까지 디지털 루블화를 위한 법개정을 시행할 계획을 수립하였으며,, 2022년 1 분기에 디지털 루블화를 사용할 수 있는 실험을 시작하여 2023년에 디지털 루블화를 도입하는 단계별 목표를 세웠다.

첫번째 단계에서 러시아 연방 중앙은행이 CBDC를 발행하고 지갑을 지원하며 개인 간 테스트 전송을 수행하고, 두번째 단계에서는 CBDC 사용 사례에는 상품과 서비스 비용 지불, 스마트 계약 판매, 재무부와의 상호 작용에 사용되는 것이고, 마지막 단계에서는 오프라인 결제 테스트, 금융 중개 기관과 디지털 플랫폼과의 상호 작용 조사, 거래 탐색 등이 이루어지는 계획을 수립하였다.

2021년 4월에 러시아 연방 중앙은행은 디지털 루블에 대한 개념을 발표하면서, 운영 모델은 러시아 연방 중앙은행이 디지털 루블 발행자이자 디지털 루블 플랫폼 운영자인 2 단계 소매 모델을 채택하였다.

티어(Tire) 1 에서는 러시아 연방 중앙은행이 디지털 루블 플랫폼을 출시하고, 운영을 담당하며, 신용기관은 디지털 루블 플랫폼에 연결하는 방식이다. 디지털 루블 플랫폼을 통해 거래를 수행하기 위한 규칙을 정의하고, 디지털 루블을 발행하며, 신용기관과 개인, 법인을 위한 지갑 생성을 보장하는 역할을 수행한다.

티어(Tire) 2 에서는 신용기관이 주도하는 것으로 고객과 소통하고 상호작용하는 채널을 담당하고, 고객의 요청에 따른 디지털 루블 플랫폼에 지갑을 생성하여 결제와 이체를 실행하는 기능을 제공하게 된다. 기존의 신용기관이 제공하고 있는 자금세탁 방지와 테러자금 조달방지, 그리고 확산 자금 조달방지 법률에 규정된 절차를 이행하고, 외환 관리 목적으로 고객 식별 및 사기 방지를 점검하는 역할을 수행한다.

러시아 연방 중앙은행에서 발행되는 디지털 루블화는 가상지갑(모바일앱 등)에 저장되며, 일반 매장에서 사용 가능하도록 하여, 현재의 결제 시스템과 유사한 형태로 서비스를 제공하도록 구축할 예정이다.

러시아은행(The Bank of Russia)은
디지털 루블(ruble)인 중앙은행
디지털 화폐(CBDC) 발행 가능성을
조사

디지털 루블을 현금이나 비현금
루블의 대체품으로 보지 않고
보완으로 본다고 밝힘

디지털 루블 발행은 세계적 추세에 따른 것보다는 금융권 간의
기술 경쟁을 줄이고 결제 및 송출금의 서비스 비용을 감소한다는
경제적 측면이 먼저 고려된 것

"향후 디지털 루블은 세금 납부 등에 활용되는 보편적인
지불수단이 될 것"이라고 전망

출처 : The Bank of Russia

최근 러시아의 우크라이나 침공으로 인해 러시아 연방 중앙은행은 우선 순위를 재검토하게 되었으며, 미국과 유럽연합(EU) 등 서방 국가들이 러시아에 대한 경제제제로 인해 2022년 3월 2일 부터 러시아 은행을 스위프트(SWIFT) 결제망에서 제외되면서, 러시아 입장에서는 국제무역거래에서 대금 지급 결제가 불가능하게 되는 상황에 직면하게 되었다.

이에 따른 상황으로 인해 러시아 연방 중앙은행과 러시아 정부의 조치는 무역에 다른 통화를 사용하여 비자(Visa), 마스터 카드(Mastercard)와 스위프트(SWIFT)에 대한 다른 대안을 개발하는데 최우선 순위를 지정하였다. 그리고 다른 대안으로 중국의 국경간 자금 결제 시스템 (Crossborader Interbank Payment System, CIPS) 등이 고려되면서, 중국을 비롯한 친 러시아 국가들과 자금 결제가 필요한 기업들이 러시아와의 교역에서 CIPS를 이용하거나 CBDC, 비트코인(Bitcoin)과 같은 디지털 화폐를 활용하는 방안을 모색하기 시작하면서, CBCD에 대한 검토를 적극적으로 추진하고 있다.


## 스위스 중앙은행(SNB, The Swiss National Bank)

스위스 중앙은행은 국제결제은행(BIS) 스위스 센터와 CBDC와 디지털 자산에 대한 개념증명(PoC)을 추진하여 성공적으로 2020년 12월 3일에 완료하였다.

국제결제은행(BIS) 스위스 센터는 스위스 중앙은행과 금융 인프라 사업자인 식스와 " 프로젝트 헬베티아(Project Helvetia) " 합작회사를 설립하여, 식스 디지털 거래소에서 은행과 기타 금융기관으로 제한된 도매용 CBDC 발행을 통해 디지털 자산을 이전하는 기술적, 법적 타당성을 검토를 추진하였다. 스위스 중앙은행은 블록체인 기술이 디지털 프랑을 발행하는데 필수적인 요소는 아니라는 판단을 하였지만, 2022년 1월에 시티그룹, 골드만 삭스, UBS 그룹 AG, 크레디트 스위스 AG(Credit Suisse Group AG),

하이포써카르방크 렌츠부르크 AG(Hypothekarbank Lenzburg AG)와 협력하여 국가 금융 네트워크 내 중앙은행 디지털 통화 처리 여부를 시험 하였으며, 기존 핵심 은행 시스템과 통합 가능한 것으로 검증이 완료되었다.

스위스 중앙은행 추진 방향

- 분산형 디지털 자산 플랫폼을 기존 도매 결제 시스템에 연결해 도매용 CBDC 발행을 가까운 미래에 실현 가능성 및 법적으로 문제 없음을 입증 완료

- 스위스 금융 인프라의 안전성과 신뢰성 보존 가능 여부 및 분산원장기술이 증권 거래, 정산 등을 크게 개선 할수 있는 조건하에 디지털 프랑 발행계획 수립 할 것

출처 : 스위스 중앙은행, Project Helvetia

2023년 4월 스위스 중앙은행은 스위스 결제 시스템 현황 보고서를 발표 하면서, 수차례에 걸친 도매형 CBDC 테스트를 진행하였으며,  식스 디지털 거래소(SDX)에 실제 사용 가능한 CBDC를 발행할 계획이다.

## 호주 중앙은행(RBA, Reserve Bank of Australia)

호주 중앙은행은 도매 금융시장 거래에서 효율성, 위험 관리 및 혁신에 대한 CBDC의 잠재적인 사용과 의미를 탐구하는 것을 목표 CBA (Commonwealth Bank of Australia), NAB(National Australia Bank), 퍼페츄어(Perpetual), 컨센시스(ConsenSys)와 협력하여 도매용 중앙은행 디지털 화폐를 개발하는 기술 검증에 추진하였다.

출처 : Reserve Bank of Australia

이더리움 분산원장 플랫폼 상에서 토큰화된 CBDC를 통한 자금조달, 결산, 상환에 대한 기술 기능 테스트를 진행하고, 토큰화된 신디케이트 대출의 자금 조달, 결제 및 상환을 위해 도매 시장 참가자가 사용할 수 있는 CBDC를 발행하는 범위를 포함하였다.

호주 중앙은행 2022년 8월에 CBDC 도입에 따른 경제 효과 등에 대한 연구를 시작하였으며, 혁신적인 사용 사례와 비즈니스 모델을 조사하고 기술적, 법적, 규제적 고려사항을 보다 잘 이해하기 위해 1년 동안 시범사업을 진행할 계획이다. 2023년 3월 호주 중앙은행과 호주 금융 기관인 디지털금융 협동연구센터(Digital Finance Cooperative Research Centre)가 공동으로 CBDC 시범 사업을 진행할 예정으로 송금 부터 오프라인 결제, 세금 납부와 신뢰할 수 있는 Web 3.0 기반 전자상거래 지원까지 폭넓은 관점에서 진행될 예정이다.

## 태국 중앙은행(BOT, Bank of Thailand)

태국 중앙은행은 2018년에 시작된 프로젝트인 인타논(Inthanon)는 도매 CBDC 개발을 목표로 중앙은행과 8개 주요 금융기관이 참여하여 진행하였다.

이 프로젝트의 목표는 중앙은행 디지털 화폐 시스템의 타당성을 연구하고 비즈니스 플랫폼과 CBDC를 통합하는 프로세스를 개발하는 것이며, 대기업 부터 시작해 CBDC의 범위를 확장하여, CBDC 결제 시스템을 인타논 (Inthanon)에 포함된 데이터를 바탕으로 구축하는 것이다.

인타논(Inthanon) 프로젝트는 디지털 통화 시스템을 기반으로 하는 기업을 위한 새로운 지불 시스템의 프로토타입을 만드는 것으로, 총 2단계로 디지털 화폐 발행을 위한 준비를 하고 추진하였다.

태국 중앙은행

BANK OF THAILAND

태국 은행은 또한 CBDC 개발의 일환으로 태국의 8 개 상업 은행과 협력하여 은행 간 결제 또는 "실시간 결제"를 분권화 할 예정

프로토타입 : 태국에서 가장 오래된 시멘트 제조업체인 시암 시멘트그룹의 조달 및 재무 관리 시스템 및 공급업체에 시험적으로 도입될 예정

출처 : Thailand's Central Bank

프로젝트 1 단계로, 방콕, 크룽타이, 아유디어, 카식코느시암, 타나차트, 스탠다드차타드 태국, 홍콩, 상하이 은행 등 8 개 은행과 R3 코다(Corda) 플랫폼 기반으로 도매 CBDC 개발을 진행하였으며, 2020년 1월에 홍콩

통화청과 협력하여 국경 간 지불 프로타입을 개발하였다.  채권 토큰 생명
주기와 DvP(Delivery and Payment) 결제,  비거주자 관련 규정 요구사항과
사기 탐지 및 방지에 대한 분산원장 기술 적용을 검토하였으며,  지불 교착
상태를 해결하기 위해 유동성 저축 매커니즘(Liquidity Saving Mechanism,
LSM)을 통해 은행의 유동성 준비에 대한 자동화를 위해,  프로토타입은 분산
원장(DLT)가 24/7 인터뱅크 결제를 구현함으로써,  지불 효율성을 크게 향상
가능하다는 것을 확인하였다.

프로젝트 2 단계는 은행들이 가상화폐를 다른 은행이나 기업과 거액결제
(Wholesale Payment)를 할 수 있도록,  기업 고객에게 배포하고 라이온락-
인타논 은행과 기업들 사이의 국경 간 자금 이체와 결제의 효율성 제고를
목표로 추진되었다.  이 프로젝트에 태국 중앙은행은 컨센시스(ConsenSys)
를 프로토 타입을 개발하고 테스트하기 위한 기술 파트너(Technology
Partner)로 참여시키고,  태국 파트너인 아타토(Atato[1])와 엔터프라이즈
이더리움 스택을 사용하여 솔루션을 설계하기 위해 협력 파트너로 참여
하였다.

시암 시멘트 그룹(SCG)와 디지털 벤처(DV)가 공동으로 중앙은행 디지털
통화(CBDC) 프로젝트를 위한 개념증명(PoC) 프로토타입 개발과 블록체인
기술의 잠재력을 탐구 하기 위한 목적으로 진행하기로 하였다.  프로토 타입의
비즈니스 사례는 디지털 벤처(DV)에서 개발한 B2P(Procure-to-Pay)라고

---

1 아타토(Atato)는 태국 방콕의 소프트웨어 회사

하는 조달과 재무관리 시스템을 지원하기 위해, CBDC를 사용하여 일일 상거래를 시뮬레이션하고 결제 자동화를 선정하여 추진하였다. 이와 더불어 태국 중앙은행은 디지털 바트와 스테이블 코인의 불법 사용에 대한 지침을 발행하고 벌칙을 부과할 예정이다.

태국 파트너 Atato와 협력, 엔터프라이즈 이더리움 스택을 사용, 솔루션을 설계 할 것

토큰 화 된 중앙 은행 화폐 기반 일반 대중이 쉽게 접근 할 수 있는 소매 블록체인 기반 CBDC 발행을 위한 적합한 기술 검토 할 것

CONSENSYS

출처 : Thailand's Central Bank, ConsenSys

## 브라질 중앙은행(BCB, Banco Central do Brasil)

브라질 중앙은행(Banco Central do Brasil)은 브라질 경제의 증가하는 디지털화와 쉽게 이용할 수 있는 지불방법의 부족을 해결하기 위해서 만들어진 픽스(PIX) 라고 불리는 새로운 지불 시스템의 시작이 필요하게 되면서, CBDC 대응을 위한 전담팀을 구성하고, 2022년 내에 CBDC 발행을

위한 계획을 수립하였다. 픽스(PIX)는 365일 24시간 모바일 앱, 인터넷 뱅킹, ATM을 통해서 10초 내로 결제가 가능한 시스템을 구축하는 것이 목표이며, 이를 실현하기 위해 CBDC의 가능성과 해결 과제를 연구, 평가하기 위한 12 명으로 구성된 전단팀을 구성하여, CBDC 관련 보안 리스크와 기존 금융 생태계애 대한 사회, 경제적 효과를 분석하는 업무를 담당하며, 브라질 경제와 금융 인프라에 적합한 모델을 연구하여 금융 시스템을 강화하기 위해 가까운 미래에 오픈 뱅킹 모델을 출시할 예정이다. 하지만, 브라질 중앙은행은 현재 금융 인프라와 국제 지형의 불확실성을 이유로 CBDC 일정을 2023년으로 연기하였다.

출처 : Banco Central do Brasil

브라질 중앙은행은 2024년 자체 중앙은행 디지털 화폐(CBDC) 발행을 목적으로 2023년에 3월 부터 디지털 혜알의 시범 운영 첫 단계를 시작하였다.


## 우크라이나 국립은행(NBU, National Bank of Ukraine)

우크라이나 국립은행은 2017년 부터 CBDC 구현 가능성에 대한 연구를 시작으로 CBDC 파일럿 프로젝트를 수행하기 위해, 우크라이나 정부가 공식적으로 CBDC 발행을 허가하면서, CBDC 프로젝트를 추진하기 위한 기반으로 스텔라(Stellar) 블록체인 네트워크를 CBDC 인프라 구축 플랫폼으로 선정하여, E-흐리브냐(e-Hryvnia) 프로젝트를 추진하였다.

이 프로젝트는 스텔라(Stellar) 블록체인 프로토콜의 프라이빗 버전을 활용하였으며, 2018년 법정화폐 흐리브냐(hryvnia)의 디지털화를 위한 파일럿 프로그램을 진행하였다. 2020년 추진되었던 파일럿 프로그램을 완료하였으며, " 글로벌 중앙은행 디지털 화폐 검토 "라는 보고서를 공개하였다.

2021년 7월에는 가상화폐 거래소, 채굴업체, 커뮤니티 등 11개 실무그룹이 개발에 참여하는 디지털 자산 산업 발전 로드맵을 발표하면서, 가상화폐를 공식 자산화 할 수 있는 방안과 가상화폐 생태계 프로젝트를 추진하고, 규제와 샌드박스 구축, 디지털 자산 플랫폼 규제 정책을 수립하는 내용이 포함되어 있다.

**중앙은행 디지털 통화(CBDC) 계획을 추진하고 있는 우크라이나 정부가 중앙은행인 우크라이나 국립은행(NBU)의 CBDC 발행을 공식적으로 허가**

중앙은행이 신흥 기술을 기반으로 결제
서비스 및 금융상품 테스트를 위한 규제
샌드박스를 시행할 수 있도록 허가

국가의 지불 시스템을 EU의 지불 시스템과
통합하기 위해 우크라이나 법률을 EU 법적
프레임워크에 적용하는 것을 목표

금융 기술 발전을 자극해 민간 핀테크 기업이 은행과 협력하고 사업 기회를
더 많이 가질 수 있도록 할 것으로 기대

로드맵 상에는 2024년 5월까지 우크라이나 인구 47%가 디지털 자산을
사용하고 기업의 10%가 디지털 자산 관련 사업을 운영할 수 있게 될 전망

출처 : 우크라이나 국립은행(NBU)

　　우크라이나 국립은행은 2022년 11월 중앙은행 디지털 후보인 디지털
흐리브냐(e-Hryvnia)에 대한 초안을 발표하면서, 현금과 비현금 형태의 주권
통화인 흐리브냐(hryvnia)를 핵심 목적으로 보완해, 화폐의 모든 기능을
수행하는 디지털 화폐에 대한 개념을 정의하였으며, 가상자산 시장, 결제회사
및 국가기관의 참가자와 함께 CBDC 프로젝트를 계속 개발할 계획이다.

# 인도 중앙은행(RBI, Reserve Bank of India)

인도 중앙은행(RBI)은 인도 금융 환경에 혁명을 일으킬 수 있는 획기적인 이니셔티브인 디지털 루피(Digital Rupee)라는 중앙은행 디지털 화폐(CBDC)를 준비중에 있다.

디지털 루피의 주요 사용 사례로 검토되고 있는 것은 금융 포용으로 인도는 인구의 상당 부분이 시골과 외딴 지역에 거주하는 많은 시민들이 금융 서비스에 접근하지 못하는 문제를 해결하는 것으로, 안전하고 접근 가능한 금융 서비스 플랫폼을 제공하여 은행을 이용하지 않거나 은행을 이용하지 못하는 시민들에게 기회를 제공함으로써, 격차를 해소할 수 있는 방안으로 활용하는 것이다.

이와 더불어 디지털 루피를 기반으로 트랜잭션 비용을 줄이고 효율성을 높일 수 있으며, 최소한의 수수료로 24/7 기간 동안 서비스 제공과 실행이 가능한 환경 구축과 국경 간 송금 비용을 줄임으로써, 인도 국외 거주자가 본국으로 송금하는 편리해 질 수 있다. 그리고 정부 대 개인 (G2P) 지불과 지출을 간소화하여 복지 혜택의 효율적인 전달을 보장할 수 있을 것으로 검토되고 있다.

CBDC의 긍정적인 효과를 검토하고 실행하기 위해, 인도 중앙은행(RBI)은 2022년 12월에 소매 디지털 루피인 E-루피에 대한 초기 파일럿 단계를 시작하였다. 2023년 초에는 CBDC 거래를 활성화하기 위해 중요한 상호 운용성에 집중하면서, 기존 결제 방법의 프로세스를 반영하는 UPI[1] 통합 결제 서비스에서 QR 코드를 통해 고객의 CBDC 지갑에서 디지털 루피 결제를 허용하여 CBDC와 UPI 결합을 통해 상인과 고객의 거래 방식을 채택하였다.

디지털 루피는 아직 시범단계에 있으며, 일부 도시의 제한된 수의 사용자에게 제공하여 기술을 테스트하고, 은행과 협력하여 디지털 루피 지갑과 결제 시스템을 개발하고 있는 상태이다. 은행은 중개자 역할을 하여 CBDC 거래를 위한 서비스를 제공하고, 사용자는 은행이 제공하는 모바일 기기에서 접근할 수 있는 디지털 지갑을 통해 거래에 참여하게 될 것이다.


## 이집트 중앙은행(CBE, Central Bank of Egypt)

이집트 중앙은행(CBE)은 은행 서비스를 이용하지 못하는 인구의 금융 포용성을 높이기 위해 디지털 버전의 통화 출시 가능성을 검토하기 시작하면서, 새로운 경제 정부 전략 발표에 따라, 2024년 부터 2030년 까지 운영되는 CBDC 출시를 위한 파일럿을 추진할 계획이다.

이집트 국내 시장은 현금 사용이 감소하고 있으며, 경제 인플레이션으로부터 자산을 보호하기 위해, 시민들은 외국 기반 스테이블 코인과 디지털

---

1 UPI는 2016년 4월 11일 인도국립결제공사(NPCI)가 도입한 통합 결제 서비스

통화로 이전하면서, 이를 타개하기 위한 방안으로 CBDC를 발행하려는 시도를 하고 있다.

이집트 중앙은행이 검토 중인 CBDC 형태는 고급 개인정보 보호를 제공하고 현금을 보완하는데 사용될 수 있도록 하면서, 시민을 위한 결제 시간 단축과 거래 비용 감소, 국경 간 결제, 보조금, 기타 인센티브 지급을 위한 기능을 제공하는 것이다.

본격적인 CBDC 추진을 위해 국제결제은행(BIS)와 국제통화기금(IMF)와 논의를 시작했으며, CBDC를 통해 금융 포용성을 최저 수준인 70%에서 100%으로 향상시키는 목적으로 추진 중에 있다.


## 인도네시아 중앙은행(BI, Indonesia Bank)

인도네시아 중앙은행은 2022년 12월에 3 단계 CBDC 전략을 발표하면서, 본격적인 CBDC 발행을 위한 단계별 작업을 추진하고 있다.

3 단계 추진 계획에서 첫 단계로, 기본 도매 CBDC를 시작하고, 두번째 단계에서는 증권 원장과의 통합을 진행하면서, 마지막 단계에서는 통합 소매 디지털 루피아(Digital Rupiah)를 출시하는 것이다.

인도네시아 중앙은행은 CBDC를 단계별 진행하기 위해서, 가루다 프로젝트 (Proyek Rupiah Digital Atau Proyek Garuda[2])를 도입하면서, 권한 증명 합의 매커니즘과 함께 허가된 분산원장(DLT) 시스템을 적용하는 방안을 채택하였다. 인도네시아 중앙은행은 2023년 7월 디지털 루피아 개념을 발표 하면서, 2024년에는 디지털 루피아 시스템에 대한 내부 테스트를 위한 개념 증명(PoC) 단계로 블록체인 기술이나 분산원장 기술을 사용하는 형태로 구성되고, 은행은 경상 계좌를 디지털 형태로 전환되는 것으로 실제적인 CBDC 시스템을 구축하는 목표로 추진되고 있다.

## 싱가포르 통화청(MAS, Monetary Authority of Singapore)

싱가포르 통화청(MAS)는 2023년 11월에 도매 CBDC와 토큰화된 은행 부채, 규제 대상 스테이블 코인이 포함된 디지털 화폐의 비전을 발표하였다. 도매 CBDC의 첫번째 적용 부분은 토큰화된 예금에 대한 은행 간 결제를 활성화하는 것으로, 은행 간 결제 외에도 국경 간 증권 결제를 위해 도매 CBDC를 테스트할 계획을 가지고 있다. 이에 따른 추진 계획에 따라 싱가포르 통화청(MAS)는 현지 은행 OCBC, UOB와 협력하여 디지털 화폐를 사용한 최초 소매 결제 테스트를 진행하였으며, 은행들은 고객확인(KYC) 프로세스 를 적용하도록 허용하는 구조로 구성되어 있다.

---

2 가루다 프로젝트는 디지털 루피아 발행을 담당

# 스리랑카 중앙은행(CBSL, Central Bank of Sri Lanka)

스리랑카 중앙은행은 2024년 1월 신흥 금융 생태계에 대처하기 위한 방안으로 중앙은행의 요구사항과 일치성을 평가하고 통제되지 않는 디지털 자산 채택에 대응하기 위한 전략적인 조치로 개념증명(PoC)과 파일럿 단계 제안을 통해 CBDC를 탐색하겠다는 내용을 발표하였다.

개념증명(PoC)을 제안하기 위한 준비를 하는 것으로 시작하여 점차 단계별 확대 및 파일럿을 추진하는 것이다. 금융 환경이 계속 진화함에 따라 스리랑카 CBDC의 진전은 경제회복 전망이 향상되고 글로벌 디지털 금융 분야에서 더욱 강력한 기반을 확보할 수 있다는 신호와 기회로 보고 있다.

출처 : Central Bank of Sri Lanka

# 한국은행(BOK, Bank of Korea)

한국은행(BOK)은 EY한영, 삼성 SDS와 함께 CBDC 컨설팅을 수행하여, CBDC 업무 프로세스 분석, 설계, 시스템 구조 설계 구축사업 실행 계획 수립 등을 완료하였다.

CBDC의 제조, 발행, 유통, 환수의 과정 중 한국은행이 맡아서 할 업무 중심으로 컨설팅 작업과 내부 분석이 진행되었다. 컨설팅을 통해서 도출된 결과를 바탕으로, 한국은행은 CBDC의 처리, 활용 가능성을 확인하기 위한 모의실험에 착수하였으며, CBDC를 발행해 상용화하기 보다는 CBDC 제조에서 대금 결제까지의 점위를 미리 테스트하는 것 목표이다.

가상환경 기반 모의 시스템을 구축하여 제조, 발행, 유통, 환수, 폐기 등의 CBDC 생애주기를 처리업무 프로세스와 함께 송금, 대금결제 등의 서비스 기능에 대해서 테스트를 진행하여, 2021년 12월에 1단계 모의실험 연구사업을 완료하였다. 2단계에서는 이를 기반으로 다양한 추가 기능인 오프라인 결제 등에 대한 구현과 개인정보 보호 강화 기술, 영지식 증명(ZKP), 분산 원장 확장 기술과 같은 신기술을 접목하여 검증 추진을 2022년 11월에 완료하였다. 현재는 기 구축된 CBDC 모의 시스템의 기능과 성능을 보다 면밀히 점검하기 위해, 15개 금융기관과 협력하여 추가 실험을 진행하였다.

한국은행(BOK)은 지금까지의 경험과 기술 검증의 결과물을 기반으로

2024년 9월에서 10월에 10만명의 시민을 대상으로 디지털 화폐의 일부로 예금 토큰으로 상품을 구매하도록 테스트를 3 개월 동안 진행할 계획을 세우고 있다. 이 테스트에 참가하는 시민들은 CBDC를 저장, 교환 또는 다른 사용자에게 보낼 수 있는 옵션 없이 결제 목적으로만 CBDC를 사용할 수 있도록 구성할 예정이며, 테스트의 목적은 통화 발행과 배포의 타당성, 효율성을 평가하는 것으로, 이와 더불어 한국거래소와 협력하여 중앙은행 디지털 화폐를 탄소배출권 거래 시뮬레이션 시스템에 통합하여 지불거래의 타당성을 검증할 예정을 세우고 단계별로 추진되고 있다.


## CBDC 플랫폼 개발을 위한 국내 현황

국내 정보기술(IT) 기업들은 물론 금융회사들도 중앙은행 디지털 화폐(CBDC) 서비스를 위한 준비에 나서고 있다. CBDC를 발행·통용할 수 있는 플랫폼을 선점하기 위해, 기술 개발과 외부 협력에 적극적으로 나서고 있다.

라인의 블록체인 개발사 언체인 측은 분산원장 같은 코어기술도 중요하지만, 기술 개방성을 위한 오픈 API를 비롯해 라인페이·라인뱅크를 운영한 경험과 가상화폐 링크(LN)를 발행한 노하우 등 금융 서비스를 하고 있다는 차별점이 있다.

아직까지 CBDC 도입은 초기 단계이지만, 관련 업계는 이미 가상자산,

게임 아이템, 예술 작품 등으로 디지털 자산의 범위가 넓어지고 있는 만큼 앞으로 관련 시장이 급성장할 수 있다고 보고 있다.

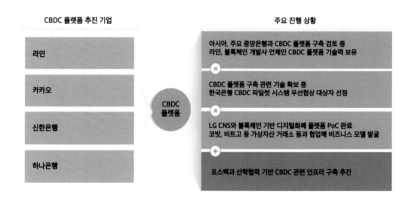

출처 : 라인, 카카오, 신한은행, 하나은행

국내 정보기술(IT) 기업들은 물론 금융회사들도 중앙은행 디지털 화폐 (CBDC) 서비스를 위한 준비에 박차를 가하고 있으며, 조폐공사의 CBDC Wallet과 한국은행의 CBDC 파일럿 테스트 계획에 발맞추어, CBDC 생태계에 참여하기 위한 기반을 마련하고 있다.

# 제 4 장

## 디지털 화폐 (CBDC) 프로세스

# 04 디지털 화폐(CBDC) 프로세스

현재 존재하는 모든 기존 통화와 함께 다른 통화가 필요한 이유는 무엇입니까? CBDC에 대한 희망은 사용자에게 더 많은 이점이 있다는 것이다. 새로운 지불 기술을 블록체인으로 사용하여 지불 효율성을 높이고, 전반적인 비용을 낮추는 것을 목적으로 하고 있다.

CBDC 핵심 요소는 중앙은행이 발행하고, 디지털 화폐 기반으로 운영되며, 접근성(Universally Accessible)이 보편적으로 확대되는 것이다.

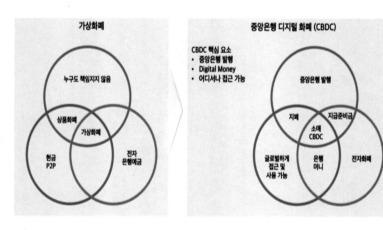

출처 : Bank of England, iMi Blockchain

CBDC는 기존의 중앙은행과 은행의 역할을 바꿀 수 있는 방법으로 중앙은행이 직접 CBDC를 발행하고 관리, 그리고 창구 역할을 담당하게 되고, 신원확인(KYC) 및 소매 지불 처리와 도매 지불 처리를 담당하는 역할로 중앙은행의 역할이 확대되게 된다.

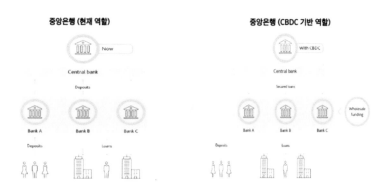

출처 : Moody's Investors Service

## CBDC 유형

CBDC는 세가지 형태의 유형으로 분류할 수 있으며, 요구조건에 부합되도록 구성할 수 있다. CBDC는 사용에 따라, 소매형 및 도매형 디지털 통화로 분류하고, 중앙은행 참여 수준과 정해진 기준에 따라 형태가 정의된다.

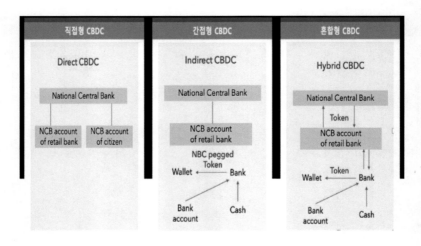

출처 : Bank of England

## 1. 직접형(Direct) CBDC

직접형은 중앙은행이 CBDC를 발행하여 직접 일반 고객에게 공급하고, 고객으로 부터 회수를 포함한 지급 서비스도 직접 담당하는 형태이다. 중앙은행이 대고객 서비스를 제공하므로, CBDC를 통한 거래에서 민간기관간 자금결제 절차에 수반되는 완결성이나 신용위험이 문제되지 않으며, 기존의 결제 시스템이나 법화 시스템과는 별도로 CBDC의 공급, 회수 시스템 및 대고객 지급서비스 시스템을 구축, 운영하기 위한 비용과 운영부담을 중앙은행이 지게 된다.

---

**직접형 모델**

- CBDC는 중앙은행에 청구
- 중개자 또는 중앙은행이 KYC 및 소매 지불 처리

---

## 2. 간접형(Indirect) CBDC

간접형은 중앙은행이 아닌, 민간기관이 중앙은행에 예치한 현금 등을 기초로 발행한 디지털 화폐를 CBDC로 인정하는 형태이다. 발행주체가 민간기관이 담당함으로 인해, 중앙은행의 CBDC 유통량 관리 및 통제를 하기 어려워지고 신용위험에 노출될 수 있다.

> **간접형 모델**
>
> · CBDC는 중앙은행에 청구
> · 중개자가 KYC 및 소매 결제 처리
> · 중앙은행은 도매 지불 처리

## 3. 혼합형(Hybrid) CBDC

혼합형은 중앙은행이 민간기관에 대한 CBDC의 발행을 담당하고, 민간기관이 일반 고객과의 관계에서 CBDC의 공급, 회수를 포함한 서비스를 담당하는 형태이다. 중앙은행 > 은행 > 일반고객의 이원적 관계를 이용하는 기존 구조와 동일함으로 인해, 시스템 및 프로세스의 변화가 최소화 될 수 있다.

> **혼합형 모델**
>
> · 중앙은행에서 보증하는 중개자에 청구
> · 중개자가 KYC 및 소매 결제 처리
> · 중앙은행은 도매 지불 처리

중앙은행은 CBDC 발행에 대한 관리를 하게 되고, 민간기관이 대고객 지급 서비스를 제공함으로 인해, 고객자금을 직접 보유하지 않게 된다. 이러한 상황으로 인해, CBDC 기반 서비스를 제공하기 위한 시스템 운영 비용을 지급 해야 하는 민간기관은 별도의 운용 수익이 없이, 참여해야 하는 적합한 목적을 제시해야 하는 과제가 남아 있다.

CBDC 기반 영역에서는 소매(Retail Central Bank Digital Currency)와 도매(Wholesale Central Bank Digital Currency)로 구분되어 진다. 소매는 일반 사용자 및 소상공인과 같은 대중을 지원하는데 중점을 두고 있으며, 현금 발행 비용 절감 및 효율적인 재정 효과를 촉진할 수 있으며, 추적 가능성 및 익명성 기반으로 이자율 적용 가능성을 제공하고, 24 시간 서비스를 사용 가능한 형태이다. 도매는 중앙은행에 준비금을 예치한 금융기관에 적합한 형태로, 유동성 및 거래 위험 문제를 해결하는 방안으로 지불 및 보안 결제 효율성을 향상 가능하다. 기존 시스템의 대체방안으로 금융 시스템의 처리 속도 및 보안을 개선할 수 있는 장점이 있다.


## CBDC 프로세스

각국의 중앙은행은 CBDC 유형 중, 혼합형(Hybrid) CBDC가 적합한 형태로 판단하여, 이를 기반으로 CBDC 시스템 및 프로세스를 설계하고, 테스트를 진행중이다.

혼합형 CBDC 프로세스는 중앙은행이 직접 관리하는 대신, 자금 관리 및 CBDC 사용자가 상업은행과 같은 지불 서비스 제공자인 PSP(Payment Service Providers[1])를 통해 거래하는 2 계층 아키텍처이며, 사용자는 온라인 결제에 지불 서비스 제공자를 사용하지만, 디지털 장치를 사용하여 오프라인으로 거래 가능하다.

온라인 거래 흐름 유형은 중앙 집중식 코어인 CBDC 원장으로 실시간 정산을 수행하며, 원장 기반으로 결제 전 PSP간 거래 사전 청산하는 형태이다. 2 계층 기반 CBDC 아키텍처는 중앙은행이 사용자 A, B 및 C의 CBDC 소유권을 기록 및 관리를 하게 된다.

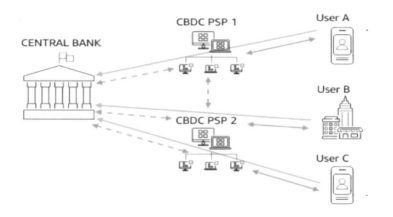

출처 : Amazon

---

1 PSP(Payment Service Providers)는 계정 관리, 디지털 지갑, KYC/AML, 오프라인 결제 장치 및 사용자 ID 관리와 같은 CBDC 서비스 제공

이를 기반으로 하는 CBDC 프로세스는 참여자별 역할이 다르며, 중앙은행을 중심으로 상업은행(Commercial Bank)과 고객(User)과의 접점 역할을 하게 된다.

중앙은행은 CBDC 발행 및 유통량 관리를 하게 되고, CBDC 유통 과정 감시와 조정 역할로서, CBDC 구성도 상에서 Main Hub Node 역할을 담당하게 된다. 상업은행은 CBDC 유통 과정 관리와 고객 CBDC 자산을 관리하게 되며, 고객에 제공하기 위한 고객 유형에 따른 지갑(Wallet)을 생성하여 제공하는 역할로서, Sub Node 역할을 담당하게 된다. 고객은 CBDC 실 거래를 하게 되고, 이체 및 기존 금융 서비스와 동일한 서비스를 이용할 수 있게 된다.

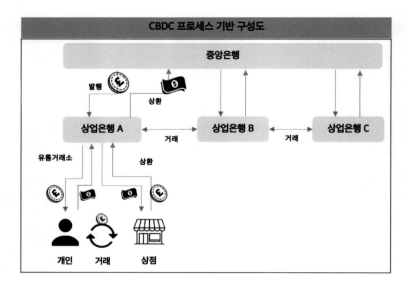

출처 :ooo

CBDC 기반 2 계층 아키텍처는 현재 추진되고 있는 CBDC 프로젝트의 88% 이상이 블록체인 기술 기반으로 진행되고 있다. 이러한 환경하에서 CBDC가 제공해야 하는 주요 기능은 중앙은행이 관리하는 핵심원장(Core Ledger)과 민간부분 결제 인터페이스를 연계하고, 중앙은행의 핵심원장과 연동 및 접근을 위한 권한 관리를 할 수 있는 API 엑세스가 필요하다.

그리고 결제 인터페이스 제공업체를 통해 사용자와 핵심원장 간의 연동을 위한 인터페이스 및 사용자가 쉽게 사용할 수 있는 사용자 친화적인 UI/UX 기반 인터페이스 제공 기능이 구성되어야 한다.

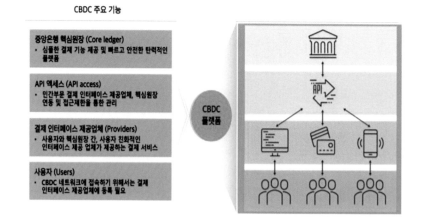

출처 : Bank of England Discussion Paper

CBDC는 익명성 기반 거래 형태로 청산 및 결제 모델, PSP와 상호 운용성, 오프라인 결제 기능으로 구성된다. 금융 통합 및 PSS와 공개적인 경쟁을 위한 Digital ID 기반 거래 프로세스 구성을 하고, 거래 관련 트랜잭션 감지 및 캡처를 위한 서비스와 자동화된 지급과 결제 프로세스를 위한 블록체인 기반 의 스마트 계약 적용 및 조건하에 지불 및 처리되는 관리 프로세스가 적용 된다. 그리고 CBDC Wallet 기반의 계정 관리를 위한 토큰(Token), 계정 (Account) 모델 기반으로 구성되어 진다.

특히, 토큰(Token) 기반 모델은 개별 시스템으로 구성하여, 오프라인 결제 서비스를 지원할 수 있는 형태로 구성 가능하게 해준다.

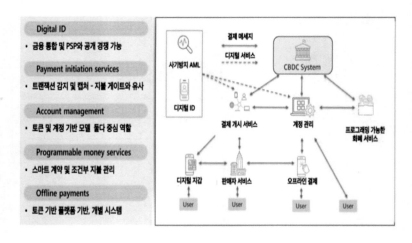

출처 : Amazon

CBDC의 계정 관리(Account Management)를 위한 계정 기반 및 토큰 기반의 모델로 통화를 디지털화 하는 형태로 구성된다.   토큰 기반 CBDC는 기존 계정과 연결되지 않는 새로운 디지털 형태이며, 계정 기반 CBDC는 기존 지급결제 모델을 디지털화한 형태로 정의할 수 있다.

출처 : BIS(Bank for International Settlement)

## 1. 토큰(Token) 기반 모델

토큰(Token)은 디지털 서명(Digital Signatures) 기반으로, 디지털 무기명 도구라는 용어를 사용하고 있으며, 규제되지 않는 기관에서 제공하는 형태이기 때문에 기관의 책임이 존재하거나 존재하지 않을 수 있다. 토큰(Token) 기반 모델은 디지털화 시스템 기반으로 구성되며 블록체인과 같은 신기술을 도입하여, 이를 기반으로 공개 또는 폐쇄형 원장과 스마트 계약(Smart Contract)으로 프로세스를 프로그래밍 하여, 자동화 형태로 구성 가능하다.

그리고 지갑(Wallet) 기반으로 토큰 전송을 하게 되며, 신원확인(KYC) / 자금세탁방지(AML)이 포함되거나 포함되지 않을 수 있다. 디지털화된 시스템으로 인해, CBDC를 위한 인프라는 상시 운용되는 구조로 구성되어 있다.

## 2. 계정(Account) 기반 모델

계정(Account) 기반 모델은 기존 금융 인프라 시스템을 사용하는 형태로, 계정 소유자와 신원확인(KYC)이 필수적으로 포함되어 있어, 무기명 도구가 아니다. 복식부기장부 형태의 기존 데이터베이스 기술 기반의 원장으로 구성되어 있으며, 참여자 및 서비스간 연계를 위해 API 기반 인터페이스로 프로그래밍 가능하다.

이 모델은 은행 및 비은행권에서 제공하게 됨으로 인해, 기존 규제 영역에 포함되며, 중앙은행의 계좌는 공식적인 식별을 통하여 접근 가능하며, 이는 은행계좌의 추적 가능성과 유사하므로 익명성을 달성하기는 어려우나 계좌상의 정보 추적이 가능함에 따라, 정보의 안정성이 높아지는 장점이 있다.

CBDC 프로세스는 전자지갑 기반 서명 방식과 동형 암호화를 통한 프라이버시 보장 구조로 구성된다. 프로세스 중, 자금이체 프로세스에서 CBDC를 사용하는 고객은 전송 목적지에 대한 정보를 받고, 개인키, 생체인식 또는 PIN을 사용하여, 전송 목적지 전자지갑(Wallet)으로 자금 이체를 위한 서명을 진행하는 방식이다. 서명에 대한 유효성을 보장하고, 전자지갑의 적법성을 확인 및 전자지갑의 잔액에 대한 유효성을 승인하는 형태의 과정을 거치게 된다.

그리고 거래와 관련된 모든 정보는 ISO20022 표준 기반으로 구매, 계약자 지불 등과 같은 내용이 포함되며, 동형 암호화 방식 기반으로 데이터 처리 및 중앙 집중식 서비스 형태로 빠른 트랜잭션 처리를 가능하게 구조로 구성되어 진다.

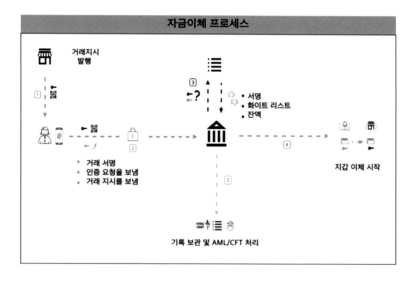

출처 : The Bank of Canada's Model X Challenge

다음으로, CBDC 프로세스 중, 오프라인 거래 프로세스는 오프라인 환경에서 카드 형태의 수단을 통해, 전자지갑과의 연결 및 고유 번호를 통한 연계 구조로 구성된다. 오프라인 환경에서 CBDC 서비스를 이용할 수 있도록, 카드와 같은 물리적 형태이거나 최신 스마트폰의 하드웨어, 소프트웨어 형태로 제공 가능하게 되며, 예로 오프라인 CBDC 카드와 같은 물리적 형태는 내장된 RAM을 기반으로 CBDC 전자지갑에 연결되는 형태로 구성 되게 된다.

CBDC 전자지갑(Wallet)은 e-KYC 프로세스를 따라 고유한 사용자와 연결 되어, 전자지갑과 오프라인 카드와 연계를 위해, 고유 CBDC 일련번호를 전자지갑에서 카드로 전송하고, 카드 사용 시, 전자지갑이 온라인 상태일때, 전자지갑에서 카드로 자금 이체가 되어, 결제 및 이체를 하게 된다. CBDC 전자지갑(Wallet)의 온라인 연결 활성화 시, 이와 관련된 이체 결과 및 계정 잔액을 업데이트를 통해서 잔액 관리를 하게 된다.

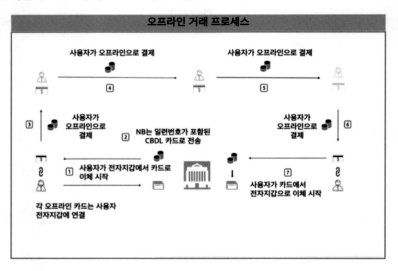

출처 : The Bank of Canada's Model X Challenge

# CBDC 지갑(Wallet) 프로세스

CBDC는 디지털 화폐 기반으로, 전자지갑(Wallet) 형태로 서비스를 이용할 수 있으며, CBDC 프로세스에 참여하는 참여자별 Wallet 유형이 달라지게 된다.

중앙은행 Wallet은 CBDC 유통 관리인 발행, 회수, 보관 역할을 하게 되며, Wallet의 유형 중, 발행과 회수를 담당하는 핫월렛(Hot Wallet)과 보관을 전담하는 콜드월렛(Cold Wallet)으로 구분되어 진다. 그리고 중앙은행 CBDC Wallet은 자체 인증 시스템을 별도로 구축한 형태이다. 은행이나 민간 기관 전용 Wallet은 고객 CBDC 유통 관리 역할을 하게 되며, 소매(Retail)과 도매(Wholesale) 거래에 따른 지갑과 형태가 분류되게 된다.

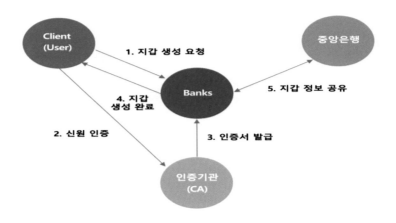

출처 : The Bank of Canada's Model X Challenge

# MUTIPLE CBDC (ᵐCBDC) BRIDGE

CBDC는 한 국가의 경계선을 넘어, 국가간 CBDC 연계를 위한, 즉 국경간 결제 및 기축 통화로서 활용하기 위한 방안으로, 고안된 프로세스인 Multiple CBDC, 다른 명칭으로는 mCBDC 브릿지(Multiple CBDC Bridge)라고 한다.

Multiple CBDC는 중앙은행, 상업은행 및 비금융 기업을 포함한 금융시장 참가자가 참여하는 외환 중개 네트워크인 Corridor Network로 설계된 서비스로, 국가별 CBDC 네트워크와 실시간 총액결제(RTGS) 시스템과 같은 국가내 결제 네트워크와 인터페이스 하는 구조이다.

이 서비스는 CBDC를 통해, 관할권에 연결된 참가자 간의 P2P 거래가 가능한 형태로, 각 관할권의 중앙은행은 브릿지(Bridge)에서 CBDC를 발행 및 환매에 대한 유잉한 권한을 보유하게 되고, 상업은행은 중앙은행에서 CBDC를 구매 및 상업은행을 통해 CBDC에 접근하고 CBDC 지갑으로 이체 하는 프로세스로 운영되게 된다.

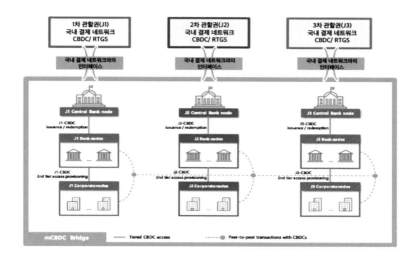

출처 : BIS Papers, No 116

# CBDC 프로세스 필수 조건

CBDC 프로세스를 구성하기 위해서, CBDC를 현금과 같이 오프라인상에서 사용할 수 있는 방안과 분실이나 도난 상황에 대한 대처 방안이 필수적인 요건을 검토되어야 한다.

CBDC의 사용 환경은 온라인이나, 인터넷 환경이 불가한 환경에서 사용할 수 있는 수단이 필요함으로 인해, 카드 형태의 장치가 필요하다. 이를 위해 CBDC 현금 카드는 전자지갑과의 연동을 통해, e-KYC 기반 사용자 등록 및 신원확인을 하게 되고, ATM 및 우체국과 같은 오프라인 사용처에서 사용 가능한 매커니즘이 필요하다.

오프라인 거래 및 카드를 통한 탄력성 확보 및 개인정보를 보호하고, 보안을 강화하기 위한 수단으로 CBDC 현금카드가 e-KYC 기반으로 온라인, 오프라인 프로세스를 제공해야 한다. 제한적인 CBDC 한도 정책으로 운영하고, AML/CFT 영역에 포함시켜, CBDC 운영에 대한 통제력 관리를 위한 방안에 대해 검토가 필요하다.

오프라인 CBDC 카드는 새로운 무기명 도구로써, 입금과 출금을 위한 소유자의 전자지갑에 연결된 구조로 무기명 증서와 같은 거래 내역이 기록되지 않고 처리되지 않는 구조인 거래 추적성을 미반영하는 조건과 현금과 같은 기존의 사용 형태를 보장해야 한다.

CBDC 오프라인 현금카드를 분실하거나 도난, 그리고 전자기갑의 탈취가 되었을때, 보유하고 있는 자금 손실이 발생할 수 있음으로, 이를 위한 대처 방안 및 프로세스가 필요하다. 스마트폰 분실 시, 전자지갑의 자금 복원은 불가하지만, 전자지갑의 비활성화를 통해 사용을 방지하고, 고유한 e-KYC ID 기반 기본 전자기갑의 활성화와 CBDC 자금 보관 서비스 업체 즉, 커스터디 (Custody) 서비스를 통한 복구 프로세스를 검토하여, 현금카드와 전자지갑에 대한 인증과 복구 및 백업 프로세스를 구축해야 한다.

| | | |
|---|---|---|
| ● | 오프라인 거래/카드를 통한 탄력성, 개인정보 보호 및 보안 | · CBDC 현금 카드가 e-KYC 기반 온라인/오프라인 프로세스 제공<br>· 제한적인 CBDC 한도가 AML / CFT 영역에 포함<br>· AML / CFT 통제력 관리 방안 |
| ● | 오프라인 카드는 새로운 무기명 도구 | · CBDC는 입/출금을 위한 소유자의 전자지갑에 연결된 구조<br>· 오프라인 지갑은 무기명 증서와 같은 거래 기록 없이 처리 되는 구조<br>· 거래 추적성 미반영 및 현금과 같은 사용 형태 보장 |
| ● | 카드 분실이나 도난상황에 대한 대처 | · CBDC 현금카드 분실이나 도난시, 보유한 자금 손실 발생 (현금과 동일)<br>· 스마트폰 분실시, 전자지갑의 자금 복원은 불가하지만, 비활성화 기능 가능<br>· 고유한 e-KYC ID 데이터 기반, 기본지갑 활성화 및 CBDC 자금 보관 서비스 업체를 통한 복구 프로세스 처리 |
| ● | CBDC 현금 카드을 위한 매커니즘 | · 인터넷 환경 불가 환경에서, CBDC를 사용할 수 있는 카드형태의 장치<br>· CBDC 현금 카드는 e-KYC 기반 사용자 등록, ATM 및 우체국과 같은 사용처에서 CBDC 사용 가능 |

출처 : Central Bank Digital Loonie : Canadian cash for a New Global, Economy, The Bank of Canada

# 제 5 장

## 중국 CBDC

# 05 중국 CBDC

　　중앙은행 디지털 화폐(CBDC)를 적극적으로 검토하고 연구 및 개발을 진행하는 국가는 중국이다. 중국은 이미 " 현금 없는 사회 "로 빠르게 변모 중에 있으며, 중국 스마트폰 이용자의 80%는 모바일 결제를 통해, 서비스를 이용하면서 중앙은행의 시장 장악력이 약해 지고 있는 상황이다. 이를 타개할 목적으로 " 디지털  화폐 " 또는 " 전자 결제 "라는 의미로 2014년 부터 중앙은행 디지털 화폐(CBDC)를 연구, 개발을 시작하였다.

　　2016년 3월 25일 중국 인인은행 디지털 통화 연구소가 일련의 특허를 내면서, D-RMB(D 통화)라는 명칭을 사용하기 시작하였으며, 2018년 부터는 DCEP(Digital Currency Electronic Payment)라고 명칭을 변경하였다가, 2021년 7월 공식명칭을 디지털 위안화 또는 디지털 인민폐(e-CNY)로 잠정 확정하였다. 2014년 부터 디지털 위안화 연구를 통해 축적한 경험을 토대로, 2020년 5월 부터는 CBDC 기반 유통 및 공개 테스트에 도입하여 상용화를 위해 박차를 가하고 있다.

　　중국 CBDC는 중앙은행인 인민은행(PBoC)이 발행하는 법정 디지털 화폐로써, 인민은행이 전체 총괄을 담당하고, 4대 국유상업은행인 공상은행, 농업은행, 중국은행, 건설은행과 3개 이동통신사인 차이나 모바일, 차이나 텔레콤, 차이나 유니콤이 참여하는 유통 구조로 구성되어 있다.

중국 디지털 화폐는 법정 준비금에 의해 1:1로 지원되는 형태로, 관리 가능한 익명성과 암호화와 관련하여 통화를 사용하기 위해 반드시 은행계좌가 필요하지 않는 구조로 검토를 시작하였다. CBDC 시스템은 2 계층 유형을 선택하여, 이를 기반으로 구축된 인프라 상에서 중앙은행과 상업은행 사이, 상업은행과 개인, 그리고 기업 사이의 두가지 개별 계층을 통해 배포하는 구조로 설계가 추진되었다.

출처 : PBoC

중국 중앙은행인 인민은행이 바라보는 CBDC 이점은 인플레이션을 및 기타 거시경제 수치와 같은 일부 지표를 보다 정확하게 계산할 수 있는 능력을 향상시키고, 화폐 생성, 분배 및 유통과 같은 프로세스 상에서 발생하는 실시간 데이터 수집 가능성이 증가하여 통화정책에 유용한 참고 자료를 제공할 수 있다는 것이다.

CBDC 시스템 및 프로세스 처리 과정에서 생성되는 대량의 데이터는 빅데이터 센터를 운영하여 자금세탁, 테러 자금조달 및 탈세를 방지할 수 있는 효과적인 방안으로, 현금이 여전히 불법활동에 가장 쉬운방법으로 활용되고 있는 상황에서, 디지털 화폐의 사용은 잠재적으로 불법 활동으로 인한 위험과 위협을 낮출 수 있으며, 잠재적인 불법자금 사용을 모니터링 할 수 있는 기회가 증가될 수 있는 기존 시스템의 업그레이드 버전으로 간주하였다. 또한 금융기관과 규제가관 간의 정보 비대칭성을 낮출 수 있는 이점이 클 것이라고 판단하였다.

중국 CBDC는 디지털 위안화라는 디지털 화폐를 사용하고 활성화하기 위한 방안으로 모바일 전자지갑을 출시하였으며, 이를 공식적으로 홍보하기 위해 공상은행, 건설은행, 중국은행, 교통은행과 우체국 등의 국영은행 사이트에서 인증서나 은행카드 없이도 간단한 정보만을 입력하고 화이트 리스트를 신청하게 되면, 전지지갑이 개설이 가능하도록 전지자갑 앱을 상하이 전 지역과 쑤저우, 시안, 선전, 후난 등 일부 지역에서 공개적으로 출시하였다.

출처 : 중국공상은행(ICBC), 디지털 화폐(E-CNY) 모바일 앱, 중국증권시보

# 중국 CBDC 추진 현황

중국 CBDC는 국가차원에서 디지털 화폐애 대한 연구를 위해, 중국 인민은행 주관 하에 디지털 화폐 전문연구팀을 조성하고 디지털 통화 연구소 설립을 통한 전자화폐 기반 디지털 화폐를 본격적으로 추진하였다. 중국 디지털 화폐의 실험을 위해 지방 도시에서 대도시 지역으로 확대하면서, 도시 연계를 통한 공개 실험을 시작하였으며, 디지털 위안화의 효율성과 상용화를 위한 기반을 구축해 나가게 되면서, 현금 소비 대체 및 무역 결제까지 확대 할 계획을 가지고 있다.

중국 중앙은행인 인민은행은 디지털 위안화의 정식 도입을 위해 박차를 가하고 있으며, 2022년 베이징 동계 올림픽에 맞춰 디지털 화폐를 사용화할 계획을 세우고 추진하였으며, 실생활에서 활용될 수 있는 실제적인 중앙은행 디지털 화폐 인프라를 구축하여 전 지역으로 확대 중에 있다.

중국 인민은행은 2020년 10월 강동성 선전시를 시작으로 2021년 2월 베이징과 청두에서 각각 1000만 위안과 4000만 위안 규모의 디지털 위안화 시범 사업을 진행하였으며, 2021년 4월에는 홍콩과 하이난에서도 시범사업을 추진하였다. 그리고 허베이성 슝안신구, 장수성 쑤저우, 쓰촨성 청두에서 테스트를 진행하였다.

중국은 선전, 쑤저우, 슝안 신구, 청두 등의 도시에서 시범사업을 수행하면서, 2억 900만 위안(미화 4200만 달러)를 지출하였으며, 2022년 베이징 동계 올림픽 공동 개최 예정지인 허베이성, 장자커우에서 비공개 실험을 진행하면서 2022년 2월에 정식 도입을 목표로 지속적으로 테스트를 진행하였다.

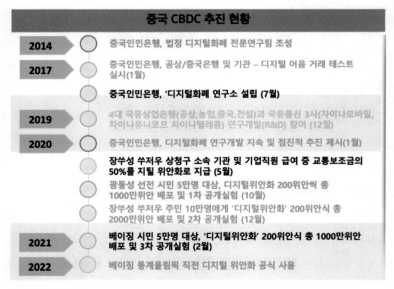

중국 CBDC 추진 현황

| 연도 | 내용 |
| --- | --- |
| 2014 | 중국인민은행, 법정 디지털화폐 전문연구팀 조성 |
| 2017 | 중국인민은행, 공상/중국은행 및 기관 – 디지털 어음 거래 테스트 실시(1월) |
|  | 중국인민은행, '디지털화폐 연구소 설립 (7월) |
| 2019 | 4대 국유상업은행(공상,농업,중국,건설)과 국유통신 3사(차이나모바일, 차이나유니코므 차이나텔레콤) 연구개발(R&D) 참여 (12월) |
| 2020 | 중국인민은행, 디지털화폐 연구개발 지속 및 점진적 추진 제시(1월) |
|  | 장수성 쑤저우 상청구 소속 기관 및 기업직원 급여 중 교통보조금의 50%를 디틸 위안화로 지급 (5월) |
|  | 광둥성 선전 시민 5만명 대상, 디지털위안화 200위안씩 총 1000만위안 배포 및 1차 공개실험 (10월) |
|  | 장수성 쑤저우 주민 10만명에게 '디지털위안화' 200위안식 총 2000만위안 배포 및 2차 공개실험 (12월) |
| 2021 | 베이징 시민 5만명 대상, '디지털위안화' 200위안식 총 1000만위안 배포 및 3차 공개실험 (2월) |
| 2022 | 베이징 동계올림픽 직전 디지털 위안화 공식 사용 |

출처 : PBoC, KRSERI

중국 CBDC는 디지털 위안화 보급을 위한 대규모 실험을 쑤저우와 선전시에서 진행하였으며, 쑤저우시는 중국에서 지하철 이용에 대한 디지털 위안화 (e-CNY) 지급을 받기 시작한 첫 번째 도시가 되었다. 그리고 상하이시와 협력하여 " 5.5 쇼핑 축제[1] "에 디지털 위안화를 사용하는 실험을 추진하면서 첫 도시 연계 사용 사례가 되었다

1 5.5 쇼핑 축제 : 코로나 19 여파로 침체된 소비를 진작시키기 위해 상하이시가 2020년 노동절 연휴기간 중 5월 5일에 맞춰 기획한 소비축제

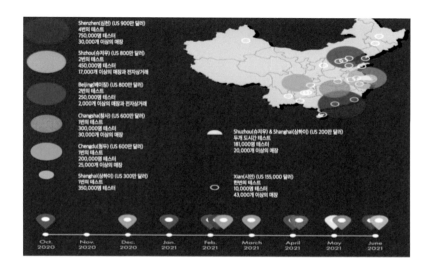

출처 : forkast.news, Sina Finance

　쑤저우시는 디지털 위안화 200위안(약 30 달러)가 담긴 100,000개의 디지털 홍바오를 준비하여, 총 2,000만 위안 상당의 금액을 복권 방식으로 시민에게 지급하였다. 광둥성 선전시에서는 시진핑 국가주석이 개혁, 개방 1번지이자 기술 허브인 선전의 경제특구 건립 40주년 기념식에 직접 참석한 가운데, 디지털 위안화 보급을 위한 대규모 실험을 진행하였는데, 총 신청한 200 만명 이상 중에 5 만명에게 디지털 화폐인 " 디지털 위안화 " 를 1 인당 200 위안씩 총 1,000만 위안(약 17억원)을 지급하여 3,000곳 이상의 상점에서 이용하였다.

# 중국 CBDC 본격 상용화 추진

중국 CBDC의 상용화를 위한 단계로, 중국 상하이에서 디지털 위안화를 사용할 수 있는 곳을 확대하면서, 지하철역 음료 자판기에 결제 서비스로 디지털 위안화를 제공하기 시작했다. 상하이 최대 변화가인 난징둥루 지하철역에 설치된 일부 음료 자동판매기는 중국에서 널리 쓰이는 알리페이, 위챗페이 외에도 디지털 위안화 결제 서비스를 제공하고, 알리페이를 쓸때처럼 간단히 자기 스마트폰 카메라로 자판기 QR코드를 스캔하여 음료를 구매할 수 있다. 그 외에 상하이 구베이에 있는 일본계 대형 백화점인 다카시마야의 직영 매장에서부터 슈퍼마켓, 식당, 카페, 잡화점 등에서 디지털 위안화를 사용 가능하다.

출처 : 중국인민일보, 상하이 지하철 공사

이와 같이 디지털 위안화를 기반으로 제공되는 서비스를 지하철역 음료 자판기에서 맥도날드 매장, 일반 식당, 백화점, 슈퍼마켓, 전자상거래 업체, 음식 배달 서비스, 차량 호출 서비스에 이르기까지 확대하고 있다.

디지털 위안화를 지불 결제 수단으로 실 서비스에 적용한 첫 사례로, 하이난 국제 수입품 전자성거래 플랫폼 상에 적용하여, 소비자에게 지불 결제 서비스를 제공하였다. 중국 관광지로 유명한 하이난에서 디지털 위안화를 국제 수입 전자상거래 기업인 궈몐 IDF[1]는 처음으로 디지털 위안화를 지불 결제로 도입하여 사용화 단계를 한 단계 앞당기는 사례로, 하이난 공상 은행이 디지털 위안화 지불 인터페이스와 운영서비스를 제공하고, 하이항그룹 산하 지불회사인 신성즈푸 기업이 매장 서비스를 지원하는 형태로 구성되어 있다.

출처 : 중국공상은행, 하이난르바오, 궈몐 IDF

---

1 궈몐 IDF는 세계 각국의 다양한 면세 제품을 온라인 등으로 유통하는 회사

이 서비스를 통해 디지털 위안화 지불이 국제 수입 전자상거래에 이용되면서, 중소기업들의 지불 처리 과정과 비용이 절감되는 효과 및 효율이 높아지면서 소비자들의 사생활이 보호되고 하이난의 자유무역거래의 편의성과 자금 흐름이 개선될 것으로 보고 있다.

다음으로 중국 허베이 슝안신구 및 장쑤성 쑤저우에서 디지털 위안화를 통해 건설 근로자의 임금을 지불하는 수단으로 사용하였다. 디지털 위안화를 통한 임금 지불은 슝안 조림 프로젝트에서 일하는 계약업체를 대상으로 진행하였으며, 중국 인인은행 스자좡 지점, 슝안신구 개발관리 위원회의 개혁발전국이 참여하여 추진되었다.

디지털 위안화를 통한 임금 지불은 수주 건설업체가 슝안신구의 " 블록체인 지급 플랫폼 "을 통해 건설 근로자의 디지털 지갑 ID와 지급 금액 등 임금 정보를 입력하게 되면, 디지털 위안화를 임금으로 지급할 수 있는 조건이 부여되며, 이 플랫폼을 통해 지급 신청을 수주 건설업체에 요청하게 되면, 은행은 임금 지급 신청한 건설사의 요청 건을 통해, 건설업체의 전자지갑에서 건설 근로자의 개인 전자지갑으로 임금을 일괄 지급하는 프로세스로 처리된다. 중국 허베이 슝안신구는 임금 지불을 시작으로 홍바오 추첨 행사을 통해 개인 결제에서 건설 관련 대금까지 디지털 위안화를 활용하는 범위를 크게 확장할 계획을 가지고 있다. 임금지불 사례는 중국 장쑤성 쑤저우시에도 추진되었으며, 쑤저우 공우원을 대상으로 디지털 위안화를 월급으로 지급을 추진하였고, 스마트폰 기반 개인 전자지갑 앱을 통해 디지털 위안화를 지급

받은 공무원은 맥도날드나 스타벅스에 가서 음식과 음료를 구입하거나, 공유 차량 "디디추싱" 및 서점, 그리고 호텔에서 사용할 수 있게 됨으로 인해 기존 현금과 동일한 수준으로 활용될 수 있도록 추진되었다.

중국 CBDC인 디지털 위안화를 기반으로 한 상용화는 중국 대도시에도 진행되고 있으며, 특히 베이징시는 교통카드 충전 및 지하철 이용에 디지털 위안화를 전면 적용하고, 결제가 가능하도록 서비스를 작용한 사례로, 2021년 6월 30일 지하철 발권기에 디지털 위안화를 도입하면서, 디지털 위안화를 통해 24개의 지하철 노선과 4개의 교외 철도역에서 사용할 수 있는 시범 프로젝트를 시작하였다.

베이징 지하철 이용 승객이 지하철 승차 결재 앱을 다운로드 받아, 앱에서 지하철 요금을 디지털 위안화를 통해 결제할 수 있는 서비스가 추가되면서, 디지털 위안화를 통해 실생활에서 사용할 수 있게 되었다. 지하철 요금을 결제하는 것을 시작으로 베이징 지하철 교통 시스템 전반에 걸쳐 디지털 위안화를 활용할 수 있는 범위르 확대하면서, 2021년 8월 1일에는 지하철 이용 승객들이 디지털 위안화 모바일 앱(전자지갑)을 다운로드 받아, QR 코드를 스캔하거나 역무원 또는 자동화 기기에 QR코드를 제시하게 되면, 베이징시의 모든 지하철 노선을 이용할 수 있고, 지하열 역내 자동 티켓 판매기 등에서 지하철 티켓 및 교통카드를 구매할 수 있으며, 교통카드의 잔액 확인 및 충전을 할 수 있도록 하였다.

그 외에 중국 선전지역도 2021년 7월 23일 부터 디지털 위안화 모바일 앱을
통한 지하철, 버스 승차권 구매 지원을 시작하였다.

중국 전역에서 디지털 위안화를 기반으로 다양한 시범사업 및 상용화를
단계적으로 추진하면서, 디지털 위안화는 공공요금, 급식, 교통, 쇼핑, 정부
서비스 등으로 총 132 만개 이상의 파일럿 시나리오가 적용되었다.

이러한 수많은 파일럿 시나리오를 통해서 디지털 위안화는 이미 상단한
금액이 발행되어, 다양한 사용 가능처에서 테스트가 이루어졌으며, 디지털
위안화 전자지갑은 2,483 만개 이상이 개설되었다.  개인 전자지갑은
2,087 만여개와 공용지갑은 351 만 여개가 신규로 개설되었으며, 누적 거래
건수는 7,705 만 여건이 처리되어, 총 금액은 약 345억 위안(한화 5조 8650 억
원)이 발행되었다.  그리고 파일럿 테스트 지점별 거래액은 약 2만 6,136 위안
(한화 약 447만원)이 처리되었으며, 각 전자지갑의 평균 잔액은 약 1,415
위안(한화 약 24만원)이었다.

개인 전자지갑의 잔고 규모는 기관과 기업 위주의 전자지갑의 잔고 규모보다는 적은 상태로, 일반 대중을 대상으로 한 테스트를 크게 늘려 보편적으로 디지털 위안화를 사용할 수 있는 환경을 구축하는 목표로, 2022년 동계 올림픽을 기점으로 실환경에 적용할 수 있는 인프라 구축에 집중하였다. 2022년 2월 베이징 동계 올림릭을 위한 디지털 위안화 애플리케이션 파일럿을 출시하면서, 베이징 지역 거주자 대상으로 은행의 승인을 거쳐 사용할 수 있는 서비스로 디지털 위안화 지갑 개설, 관리, 송금 거래 등이 가능하도록 적용할 계획으로 추진하였다.

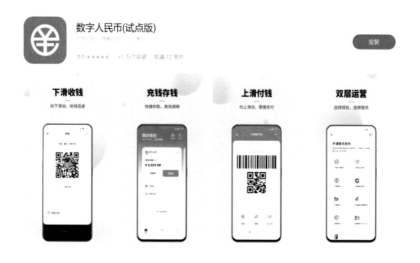

출처 : 중국인민은행(PBoC), 중국 앱스토어

# 중국 CBDC 내수 시장 규모 확대

2022년 1월 인민은행(PBoC)는 중국 내 2억 6,100 만명이 디지털 위안화 지갑을 개설했다는 보고서를 발표하면서, 본격적인 디지털 위안화를 중국 내수 시장에 활성화하기 위한 밑거름을 만들어가고 있다.

중국내 모바일 결제 사용 인구는 약 9억 3,360 만명에 달하며, 28.98%의 디지털 위안화 사용률은 높아지고 있지만, 실제적인 디지털 위안화를 사용하는 비율은 낮은 상황이며, 디지털 위안화 지갑 보유자들은 무료로 내수에서 파일럿 테스트를 위해 진행했던 다수의 케이스에서 무료로 현금을 얻기 위해 지갑을 개설한 사례가 대부분이기 때문이다. 이와 같은 문제로 실제로 디지털 위안화 지갑을 활용하는 비율은 낮을 것으로 보이지만, 중국 인민은행은 내수 시장에서 활용할 수 있는 영역을 넓히기 위해 노력하고 있다.

2022년 동안 베이징(Beijing)과 상하이(Shanghai)를 포함한 11개 시범 도시에서 총 3억 4천만위안(약 5,407 달러)을 제공하는 디지털 위안화 복권을 출시하면서, 복권 기반 연계 케이스가 많아지게 되었다. 중국 온라인 쇼핑 플랫폼인 메이투안(Meituan)은 3천만 위안 상당의 복권을 출시하였으며, 푸저우(Fuzhou)의 공식 앱은 2천만 위안 상당의 복권을 출시하였다.

그리고 복권 서비스 뿐만 아니라, 온라인 쇼핑 플랫폼과의 제휴를 추진하고 있으며, 대표적인 사례로는 중국 동부 저장성 소형상품 도매시장인 이우는 의류, 장난감, 가정용품, 스마트폰 액세서리, 보석류 등의 품목을 제조하고 거래하는 세계 소형 상품의 수도로 알려진 곳으로 글로벌 100개 이상의 국가와 지역을 대상으로 국제 결제 서비스를 제공하는 이우페이(Yiwu Pay)에 디지털 위안화를 하나의 주요 결제 통화로 접목하여, 약 15억 달러 상당의 CBDC 거래를 처리하는 것을 목표로 하고 있다.

## 중국 CBDC 해외 영역으로 확대

중국 디지털 위안화는 중국 내 내수시장 활성화와 더불어서 국외 국가와 디지털 위안화 활용영역을 넓히기 위해 다양한 영역에서 적용하고 있다.

중국과 싱가포르는 국가 간의 협력을 통해 싱가포르를 방문하는 관광객이 디지털 위안화를 활용하여 싱가포르 내에서 결제 용도로 활용할 수 있도록 허용하몄으며, 해외 국가와 협력을 통해 디지털 위안화를 통화와 결제 역할로 영역을 확대하고 있다.

중국 인민은행(PBoC)가 디지털 위안화를 도매인 금융기관간 결제와 소매 결제를 포괄하는 보편전 결제 시스템에 적용한 사례로, 2023년 10월 아시아 최대 석유가스 생산업체인 페트로 차이나(PertoChina International Corp Ltd)가 상하이 석유천연가스 거래소(SHPGX)에서 디지털 위안화로 100만 배럴의 원유 거래를 약 9천만 달러를 지불하는데 활용되었다.

상하이 석유천연가스 거래소(SHPGX)는 첫 원유 거래 이후에 중국해양 석유공사(CNOOC)와 프랑스 회사인 엔지(Engie[2])는 UAE로 부터 디지털 위안화로 거래되는 65,000톤 규모의 대규모 LNG 거래를 성사시켰다. 석유 천연가스 거래소(SHPGX)는 중국의 국가에너지 거래 플랫폼으로 원유 거래는 디지털 위안화로만 결제되는 방식으로 제공하고 있으며, 디지털 위안화를 국제 원유 거래의 표준으로 만들 계획을 가지고 있다. 이를 위해 아랍에미리트(UAE) 최대 은행인 (First Dhabi Bank, FAB)와 중국 디지털 위안화에 대한 협력 계약을 체결하였다.

이와 같이 디지털 위안화의 해외 영역으로의 확장은 해외 기업과 해외 국가와의 협력을 통해, 도매 CBDC에 대한 영역을 확대하면서 디지털 위안화의 글로벌 위상 제고와 주요 결제 수단으로서 자리매김하기 위해 노력하고 있으며, 이에 따른 첫 단계로 에너지 산업인 것이다.

## 중국 CBDC 추진 전망

중국 디지털 위안화가 다양한 범위에서 파일럿 테스트가 진행되면서, 공식적인 디지털 위안화 출범을 위한 사전 환경 조성을 위해 가상화폐 시장에 대한 규제를 강화하고, 가상화폐 불법 채굴을 막기 위한 채굴장 폐쇄 조치를 단행하여 거래 활동에 압박 수위를 높이고 있다.

---

2 엔지(Engie)는 전력과 천연가스를 생산, 판매하는 프랑스의 다국적 에너지회사

중국은 2017년 비트코인 등 민간 암호화폐 발행 및 거래를 공식적으로 금지했지만, 개인의 음성적 거래까지 일일이 찾아내 처벌하지는 않았다. 2020년 4월 까지만 해도, 세계 비트코인 채굴 중 65.08%가 중국에서 이루어졌지만, 민간이 주도하는 비트코인 등 가상화폐가 중국의 금융 주권을 침식할 수 있다고 판단하면서, 중앙 집중적 통제가 가능한 디지털 위인화 도입을 적극적으로 준비하기 시작했다.

디지털 위안화의 공식적인 상용화를 위해 사전 정지작업으로 모든 수단을 동원해 가상화폐 거래를 차단하기 시작하면서, 비트코인 채굴의 성지였던 쓰촨성 지역에서 2021년 5월 18일 비트코인 채굴업체를 대상으로 즉시 폐쇄 명령을 시행하였으며, 후속조치로 웨이보(중국의 트위터) 상에서 모든 비트코인 인플루어서의 SNS 계정을 차단하였다.

이와 같이 중국 정부가 주도적으로 가상화폐 시장에 대한 규제와 통제를 강화하는 것은, 2022년 동계 올림픽 개최와 무역 결제 등에서 디지털 위안화를 정식 도입을 통해 달러 패권에 대응하기 위한 계획에 걸림돌이 되는 가상화폐 거래를 차단을 통해 입지를 다지기 위한 수순으로 보고 있다. 이러한 가상화폐 채굴업체에 대한 강력한 규제로 인해, 중국의 비트코인 채굴업체, 특히 화력발전의 전력을 사용하는 채굴업체는 미국과 캐나다로 사업장을 옮기면서, 채굴업체의 탈러시 상황이 발생하였다.

중국의 디지털 위안화를 공식적인 디지털 화폐로 추진하면서, 중국내에서 대표적인 결제수단으로 사용될 것으로 예상하고 있으며, 중국 결제시장의 80% 이상을 차지하는 모바일 결제의 확대로 인해, 중국 결제시장의 변화가 가속화 될 것이다. 그리고 현금 사용률의 저하가 심각해 지고 있는 상황에서 이를 타개하기 위한 방안으로 활용될 것이며, 기존 결제 시장의 알리페이, 위챗페이 시장을 점차적으로 대체하게 될 것이다.

또한, 한계에 봉착한 중국 결제의 새로운 성장 동력원으로의 역할과 전자 상거래 산업의 발전을 이끄는 수단으로서 활용됨으로 인해, 국내 시장의 안정 유지 수단으로 2023년 중국 도시의 전체 10% 정도의 도시에서 디지털 위안화를 대표적인 결제 수단으로 활용할 목표로 추진하고 있으며, 2022년 2월 베이징 동계 올림픽을 위해 출시된 디지털 지갑 기반으로 실물형태의 지갑을 지원함으로써, 올림픽 기간 중 참가선수와 코치를 대상으로 손목에 밴드를 착용하고, 선수촌 내 편의점과 커피숍 등의 편의시설에서 결제 수단 으로 활용한 사례를 통해 실물지갑을 카드, 팔찌 등의 형태로 보급하여 현금처럼 익명으로 사용할 수 있도록 인프라 환경을 변화시키고 있다.

하지만 CBDC는 내수 뿐만 아니라, 국제 거래가 가능하도록 인프라 및 정책, 요건이 마련되어야 함에 따라, 제도적으로 뒷받침하는 환경과 개인정보 보호 문제 등이 해결되어야 하는 과제가 남아 있긴 하지만, 디지털 위안화의 대중화는 순차적으로 문제점들을 해결하면서 추진되고 있다.

2023년 1월 중국 인민은행(PBoC)은 2022년 12월 부터 유통된 디지털 위안화를 통화 유통량 데이터에 포함하면서, 공식적인 화폐로써의 지위를 부여하였으며, 2022년 12월 기준 약 136억 위한(약 2조 5000억원)으로, 전체의 0.13% 수준으로 영향력이 미흡하긴 하지만, 실험 대상 도시의 확대와 데이터 구축의 가속화로 인해 디지털 위안화 사용 인구가 2021년 700만 명에서 2030년 10억 멍으로 증가할 것으로 예상하고 있다.

# 제 6 장

## 중국 CBDC 추진 목적

# 06 중국 CBDC 추진 목적

## 중국 CBDC 추진 배경

중국 CBDC인 디지털 위안화를 추진하게 된 시발점은 중국의 14·5 계획 (14차 5개년 경제개발 계획)의 일환으로 디지털 경제 발전을 적극적으로 추진하는 목적에 부합되었기 때문이다. 중국의 총생산(GDP)가 일본을 제치고 세계 2위 자리에 올라서면서, 국제적인 위상이 확대되었지만 국제 결제 시장에서의 위안화의 위상은 전체 시장의 2% 정도의 수준에 머물러 있음으로 인해, 위안화의 국제화를 위한 필요성이 증대되었다.

중국 주도의 경제블록인 일대일로(육상·해상 실크로드) 계획에 따라, 일대일로 프로젝트 관련국과의 위안화 스와프, 청산결제 시스템 구축 및 국가 간의 무역과 투자를 디지털 위안화로 가격 책정, 지불 정산 등을 처리함으로써, 위안화의 국제화를 촉진하겠다는 목표를 제시하였다. 중장기적으로 디지털 위안화를 전 세계적으로 유통해 미국 달러를 기반으로 한 국제 경제 질서의 근본적인 변화를 꾀하겠다는 것이다.

중국 정부는 디지털 위안화를 미국의 달러 중심 체계에 대응하기 위한 수단으로 활용하는 것 외에도 텐센트(Tencent)그룹의 위챗페이와 알리페이 등 민간결제 기업을 견제하기 위한 정치적 수단으로 활용하려고 하고 있다.

중국 정부는 디지털 위안화의 도입을 위한 시장상황 및 기반을 마련하기 위한 사전작업으로, 중국 금융당국이 가상화폐 거래 금지와 채굴 금지를 강조하면서 고강도 규제를 실시하고 있다. 디지털 위안화의 위험요소로 스테이블 코인 특히, 글로벌 스테이블 코인이 국제 통화 시스템과 결제 시스템을 위협할 수 있다고 보고 있으며, 가상화폐인 비트코인이 고정 가치가 없는 문제점으로 금융 안보와 사회 안정성에 큰 위협이 될 것으로 판단함으로 인해, 중국 인민은행(PBoC)은 베이징에 위치한 가상자산 거래 소프트웨어 서비스 제공업체에 대한 폐쇄 조치를 단행하였다.

이러한 조치는 어떤 기업도 가상자산 거래에 관여할 수 없다는 경고이며, 가상화폐의 중국 내 활성화를 차단하겠다는 것이다. 그리고 중국 내 비트코인 채굴이 많이 이루어지던 쓰촨성, 네이멍 자치구, 칭하이성 등에서 채굴 금지를 단행하면서, 거래 금지에 대한 불안 심리가 증폭되어 연일 매물이 쏟아지게 되면서, 매물이 매물을 부르는 투매 상황까지 발생하였다.


## 중국 CBDC 추진 목적

중국이 디지털 화폐인 디지털 위안화 추진에 속도를 내는 것은, 여러가지 이유가 존재하는데 우선적으로 국내 유통 통화량이 증가하는 상황 때문이다. 통화량이 많아지게되면, 화폐 발행과 관리 비용 등이 그만큼 늘어나기 때문에 이를 디지털 화폐로 대체할려는 것이다.

그리고 디지털 화폐를 통해서 국내외 불법적인 자금 거래를 차단하는 자금 세탁 방지와 위조화폐 유통을 차단하는 방안으로 관심을 가지게 되었으며, 통화 관리에 있어 정부의 통제력을 키우고, 돈의 흐름을 추적할 수 있는 능력을 확장 할려는 의도가 내포되어 있다.

중국에서 이미 알리페이나 위쳇페이와 같은 전자결제 시스템이 일반화 되면서, 디지털 화폐를 도입하기에 좋은 여건이 마련되었다.

국제은행간 통신협회(SWFIT)의 통계에 따르면, 위안화가 국제 결제에서 차지하는 비중은 2.2% 정도로, 달러(38.43%)나 유로화(37.13%)는 물론 엔화(3.18%)에도 미치지 못함으로 인해, 디지털 화폐의 선제적인 도입이 위안화의 국제화에 좋은 기회가 될 수 있다라고 판단하고 있다.

미중 경제 갈등이 심화되면서, 달러 중심의 국제 결제망에서 불리한 위치에 직면할 수 있다라는 우려로 인해, 디지털 위안화를 외부 금융의 압력에 대처 하기 위한 수단으로써, 디지털 위안화를 무기로 달러 중심의 글로벌 금융·무역체제를 넘어서고 위안화의 위상을 국제간 거래의 기본이 되는 기축 통화로 만들려고 하는 큰 계획을 가지고 있다.

국내 유통 통화량 증가 ▸▸▸
- 국내 유통 통화량이 많아짐으로 인해, 화폐 발행과 관리 비용 증가 해결
- 알리페이, 위챗페이 대중화를 통한 전자결제시스템 인프라 보유

국내외 자금세탁 방지 ▸▸▸
- 위조화폐 유통 및 불법적인 자금 거래 등을 차단 방안
- 통화 관리를 위한 정부 통제력 증가 및 자금 흐름 추적 용이

위안화 국제화 ▸▸▸
- 위안화의 국제결제 시장의 비중은 2.2%
- 위안화의 국제화 기회로, 국제 간거래의 기본이 되는 기축통화로 활용

**달러화 패권 대비**

디지털 기축통화 역할을 미국이 주도할 수 있다는 우려상황 대비 (세계 패권 전술)

디지털 위안화 국제화 및 디지털 화폐 선도국 (베이징 동계 올림픽)

**체제 강화, 국민 통제 수단 활용**

시진핑의 '신(新) 발전구도'의 경제 및 '인류 운명공동체' 추진 전술

**금융 개혁의 수단**

자본 규제로 유동성 한계 극복을 위한 수단

금융 및 결제시장, 데이터 독점 및 관리

출처 : PBoC, SWIFT

# 중국 결제 시장 대체

중국 결제 시장은 중국 인민은행(PBoC)의 통계를 보게 되면, 2020년 4분기 총 전자결제 건은 621억원, 이중 307억원(49.4%)가 스마트폰을 활용한 모바일 결제가 차지하고 있다.

모바일 결제시장은 알리페이(55%)와 위챗페이(39%)가 독점을 하고 있는 상황으로 민간기업의 결제 플랫폼이 모바일 시장을 넘어 중국 금융 시스템 전체를 위협할 수 있는 상황에 직면하게 되면서, 중국 결제시장의 98% 점유율을 확보한 두업체의 재정적으로나 기술적으로 문제가 발생한다면

중국의 금융 안정성에 부정적인 영향을 끼칠 것으로 우려하고 있다. 이러한 이유로 디지털 위안화의 추진 목표 중, 하나로 결제 플랫폼에 문제가 생기더라도 금융 안정성을 유지해야 한다는 것으로, 디지털 위안화를 통해 자국 전자결제 시장에서 민간결제 기업을 대체할려는 의도가 내포되어 있다.

중국 정부는 2020년 11월 사상 최대 규모의 상장으로 기대를 모았던 앤트(Ant) 그룹의 상하이 홍콩 상장을 차단하였으며, 2021년 1월에는 비은행 서비스 제공업체의 온라인 결제 부분내 영향력을 억제하는 규제안을 제시하면서, 2021년 3월에는 텐센트(Tencent)에 벌금을 부과하였다.

디지털 위안화를 통해 현금 없는 사회로의 전환을 촉진하고, 지불 및 금융 시스템에 대한 당국의 통제 권한을 강화함으로 인해, 중국 디지털 결제 시장이 국가 주도 형태로 전환될 것으로 예상하고 있다.

## 디지털 위안화 기반 국내 안정 유지

예상치 못한 코로나 팬데믹 충격으로 인해, 각국 경제가 심각한 타격을 입으면서, 이에 따른 충격을 완화기 위한 방안으로 다른 국가와 부양책 처럼 시중에 많은 돈을 풀어 투자를 장려하고 경기를 부양하는 양적 완화(Quantitvative easing) 통화정책을 펴기 시작했다. 양적 완화 통화정책으로 지폐가 발행되면서, 이에 따른 화폐 발행비용 및 유통비용이 증감으로 인한 부담이 가중됨에 다라 디지털 위안화를 통한 발행 및 관리비용을 절감할 수 있는 장점이 크게 부각되었다. 그리고 중국 인민은행이 과감하게 디지털 위안화를 발행할수 있고, 인민은행이 데이터를 조작하거나 숨기면 얼마나 많은 돈을 풀었는지 외부에서는 알수 없게 되는 상황에 직면할 수 도 있지만, 기존의 화폐 발행과 관리 체계에서 혁신적인 개선을 할 수 있는 방안으로 디지털 위안화를 활용할려고 하고 있다.

## 디지털 위안화 기반 달러 패권 도전

중국의 디지털 위안 발행 프로젝트를 적극적으로 추진하는 목적으로는 거세지는 미국발 제재 압박이 크게 작용하고 있으며, 미국이 통신장비 업체 화웨이 등 중국 기업 제재에 이어 중국을 국제 결제망에서 배제하는 극단적인 공세를 취할 가능성도 있다는 상황을 고려하여 디지털 위안화를 중심으로 하는 글로벌 결제망을 구축하려는 이유가 되고 있다.

달러는 전 세계에서 가장 강력한 주류 통화로, 국제 외환거래에서 달러를 쓰는 비율은 88%인 데 비해 위안화를 쓰는 비율은 4%에 불과하며, 미국이 화웨이, 틱톡, 위쳇, 알리페이 등의 제제로 인한 위안화 거래가 국제적으로 제한 상황이 발생할 우려가 커지고 있는 상황에 직면하면서 이를 타개하기 위한 방안으로 인민은행 산하 디지털 통화 연구소가 국제결제시스템망 (SWIFT)와 공동 출자해 합작 법인을 설립하여, 안전판을 조성하기 위한 수순을 밟고 있다. 중국 인민은행은 홍콩, 마카오와 태국, 아랍에미리트 (UAE) 등에서 디지털 위안화를 사용하는 테스트를 시작하였으며, 중국의 국제 간 크로스보더(Cross-Border) 위안화 결제인 "일대일로" 프로젝트를 통해 위안화의 국제화에 속도를 내고 디지털 위안화를 기반으로 한 새로운 통화체계를 구축하고 있다.

위안화가 국제화되기 위해서는 디지털 기술 외에 가장 근본적인 금융개혁이 필요하며, 완전한 자율화된 금융 시장이 개방이 되어야 국가 간 효율적인 운영이 가능함에 따라, 디지털 위안화를 기반으로 하는 국제 간 결제 활성화를 위해 기반을 구축하고 있다.


## 디지털 위안화 기반 데이터 독점 및 통제

알리바바, 텐센트와 같은 민간결제 업체의 결제 및 거래를 중앙정부가 데이터를 독점하는 빅데이터 국가로 전환을 목표로 디지털 위안화를 추진하면서, 결제 시장에서 단기간에 최소 10% 이상 비중을 차질할 것으로 예상하고 있다. 디지털 위안화의 활성화를 위해, 금융시장에서 민간 인터넷 기업들이 영향력을 축소를 요구하면서, 알리바바(Alibaba)에 28억 달러 규모 반독점법 위반 벌금을 부가하고, SCMP(South China Morning Post)를 포함한 미디어 업체의 지분 매각을 요구하는 등 자국 테크 자이언트들에 대한 규제를 점차적으로 강화가 있는 상황이다. 디지털 위안화를 통해 중국 인민은행은 기존의 알리바바와 텐센트가 독식하던 결제 정보 중 상당량을 가져오게 될 것이며, 민감한 개인의 거래 내역이 담긴 빅데이터의 주도권을 가져오게 됨으로써, 모든 금융거래 관련 추적이 가능한 환경이 조성 될 수 있다.

## 베이징 동계 올림픽 정식 도입

중국 CBDC는 국가차원 디지털 화폐 연구를 시작으로, 2022년 베이징 동계 올림픽 전 정식 도입을 추진하였다.

### 베이징 동계올림픽 정식 도입 추진

**2022년 베이징 동계 올림픽 활용 계획**

베이징 동계 올림픽 및 패럴림픽 조직위원회 구내에 무인 자동 판매기, 무인 슈퍼마켓, 자동판매기 설치

결제 기능이 있는 장갑, 배지, 올림픽 유니폼 같은 웨어러블 기기 개발

**e-CNY 지불 효율성 개선 및 비용 절감 효과 검증**

일반 대중, 영세 및 소규모 공급업체, 기업 대상 편리성과 포괄성 확인

**e-CNY 애플리케이션 모델의 혁신 탐구에 중점**

스마트 계약 기반, 확장성 고려한 모델 구축

휴대폰 제조사와 협업을 통한 모바일 기기에 대한 이중 오프라인 결제 및 혁신방안 연구

출처 : The People's Bank of China

## 제도적 장치와 규제 개선

중국 인민은행법 등 법규 개정을 적극적으로 추진하고 디지털 위안화에 대한 개인정보 보호 기반을 구축하고 있다. 시스템의 안정적인 기능을 보장하기 위해 암호화, 보안, 금융정보 보안, 데이터 보안 및 디지털 위안화를 운영하는 시스템에 대한 보완 관리 규제를 개선하고 있다.

# 제 7 장

## 중국 CBDC 시스템

# 07 중국 CBDC 시스템

중국 CBDC는 중앙은행 주도 기반 시스템으로, CBDC 발행 및 통제 관리를 담당하는 형태로 추진되고 있으며, 통화 주권과 통화 정책의 효과적인 전달을 보장하기 위해 중앙은행에서 단독으로 발행하는 방식을 채택하고 있다. 중국 임민은행이 기존 법정통화와 같은 법적지위를 갖는 디지털 통화를 통제하고, CBDC의 라이프 사이클을 관리하고 운영하게 된다.

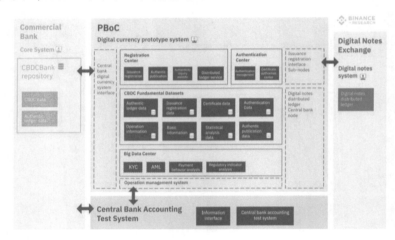

출처 : Digital Currency Research Institute of PBoC, Binance Research

중국 CBDC 시스템은 대중 접근성과 과도한 독점 시장 완화, 재정적 중개화 위험방지 목적 차원에서 2 계층(Two-Tired)으로 운영되는 구조로 구성될 것으로 예상된다.

2 계층 시스템은 디지털 위안화의 대중 접근성을 보장하기 위해 기존 상업은행 인프라 및 지점 네트워크를 활용하고, 상업은행을 통해 기존 통화 공급 프로세스를 보장하는 구조로 구성된다.   이러한 시스템은 재정적 중개화 위험 방지와 상업은행의 재정적 압박 시, 대량 인출 사태를 방지함으로 인해 위험 요인의 과도한 집중을 완화할 수 있는 장점이 있다.

2 계층 시스템은 각 계층별 역할이 있으며, 첫번째 계층인 First Layer 는 상업은행과 중국 인민은행(PBoC)간의 직접적인 상호 작용을 기반으로 운영된다.

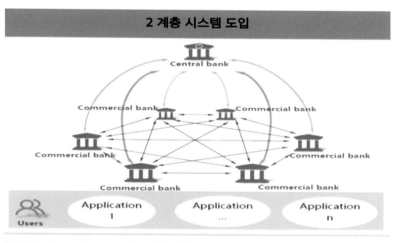

출처 : Digital Currency Research Institute of PBoC, Binance Research

중국 인민은행(PBoC)는 상업은행을 통해서만 CBDC를 발행하고 상환하게 되며, 상업은행은 중국건설은행, 중국산업 및 상업은행, 중국은행, 중국

농업은행 등 5개가 포함된다. 그리고 비금융권 파트너로써 중국은행 협회인 유니온 페이(Union Pay)와 알리바바(Alibaba), 텐센트(Tencent)와 같은 온라인 결제 서비스 제공업체가 참여하는 구조이다. 다음으로 두번째 계층인 Second Layer는 토큰 기반으로 상업은행이 중국 인민은행(PBoC)에서 필요한 최소 준비금 비율 이상으로 자본을 유지하면서, CBDC를 일반 대중과 기업에 배포하고, 유통할 책임을 지게 된다. 개인과 기업 모두에게 제공되는 입출금 서비스는 상업은행이 기존에 제공하고 있는 프로세스와 유사한 방식을 채택한다.

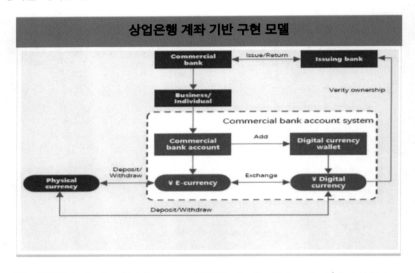

출처 : PBOC, Note: Yao Qlan, "Technical Aspects of CBDC in a Two-Tired System, People's Bank of China

중국 인민은행(PBoC)은 기존의 통화 발행 및 유통 시스템을 포함한 법정 화폐를 대체한다는 목표로 CBDC에 2 계층 시스템을 추진 중이다.

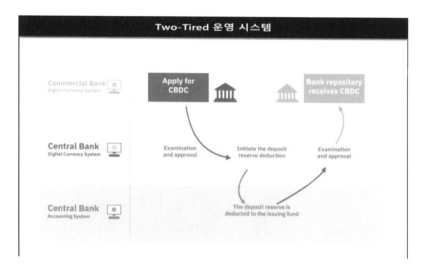

# 중국 CBDC 시스템 구조

중국 CBDC 시스템은 거래 추적성, 통제된 익명성 보장, 이중 오프라인 결제, 안정성 보장을 제공하는 형태로 구성되어 있다. 중국 CBDC 시스템의 디지털화 모델인 토큰화된 모델 구조로 일련번호, 금액, 소유자 발급 은행 서명 등과 같은 기본 정보를 포함하는 암호화된 숫자 문자열 형태로 구성되어 있으며, 합의 구조가 아닌 중앙집중식 접근 방식으로 등록 센터에서 관리하고 운영되는 형태이다.

이 등록센터는 모든 중국 디지털 화폐(DECP), 해당 소유자 ID 형태로 발급하고, 유통 및 상환의 전체 수명주기를 포함하는 모든 DECP 거래를 기록함으로 인해, 높은 거래 추적성을 허용하여 자금세탁과 같은 위험을 방지할 수 있다. 기본적으로 거래 데이터는 중국 인민은행(PBoC)의 방화벽을 통과 시, 기록 되는 방식으로 거래의 다른 모든 당사자[1]는 사용자의 디지털 지갑 주소만을 확인할 수 있으며, DCEP의 승인 없이는 사용자의 실제 신원 정보나 거래 내역을 추적할 수 없는 구조로, 전자지불 보다 더 나은 익명성을 보장하여 현금보다 규제 투명성을 확보가 가능하다.

거래는 양쪽 당사자가 오프라인 상태로 결제를 하거나, 근거리 통신망(NFC) 기반으로 결제되는 방식을 적용한 이중 오프라인 결제를 지원한다. 결제를 하는 환경은 인터넷 환경의 제약이 존재하며, 인프라가 미비한 경우가 있음으로 인해, DCEP의 광범위한 결제 가능 시나리오를 허용하는 형태를 취하고 있으며, 기본적으로 모바일 장치를 통해 은행 계좌가 연결되는 구조이다.

다양한 사용자 접근성을 제공하기 위해, 카드나 모바일 기기 기반 서비스 구조로, PIN 방식으로 분실이나 도난에 대한 보안과 안정성을 보장하는 형태로 구성되어 있다. 사용자가 카드나 모바일 기기를 도난 당하더라도 범죄자는 PIN이 없으면, 디지털 화폐를 사용할 수 없으며, 분실에 따른 카드를 취소하거나 DCEP 계좌를 동결할 수 있다.

---

1 은행 및 판매자

정보 교환은 중국 인민은행(PBoC)와 상업은행의 데이터 보관소에서만 허용되며, 제 3 자 결제기관은 계정 소유자 정보에 접근함으로써, 사용자 개인정보를 안전하게 보호하고 관리 운영할 수 있다.

| | | |
|---|---|---|
| 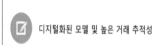 디지털화된 모델 및 높은 거래 추적성 | | • 토큰화된 모델 구조로, 일련 번호, 금액, 소유자, 발급 은행 서명 등과 같은 기본 정보를 포함하는 암호화된 숫자 문자열 형태로 구성<br>• 합의 구조가 아닌, 중앙집중식 접근 방식으로 등록 센터에서 관리 방식<br>• 등록 센터는 모든 DCEP, 해당 소유자 ID 및 발급, 유통 및 상환의 전체 수명 주기를 포함한 모든 DCEP 거래를 기록<br>• 높은 거래 추적성을 허용 및 더 위험 방지 (자금 세탁)를 허용 |
| 유연한 계정 연결 및 통제된 익명성 | | • 거래 데이터는 PBOC의 방화벽 통과시 기록 방식<br>• 거래의 다른 모든 당사자(은행 및 판매자)는 사용자의 디지털 지갑 주소(닉네임)만 볼 수 있지만 DCEP의 승인 없이는 DCEP 사용자의 실제 신원이나 거래 내역 추적 불가<br>• 전자 지불보다 더 나은 익명성 보장 및 현금보다 더 나은 규제 투명성 확보 가능 |
| 이중 오프라인 결제 지원 | | • 거래는 양쪽 당사자가 오프라인 상태 결제 및 근거리 통신(NFC) 기반 결제 방식 적용<br>• 인터넷 환경 제약 및 인프라가 미비한 경우에도 DCEP의 광범위한 사용 시나리오를 허용하는 형태<br>• 기본적으로 모바일 장치가 은행 계좌에 연결되는 구조 |
| 개선된 사용자 경험 | | • 카드나 모바일 기기 기반 서비스 구조<br>• PIN 구조 방식으로, 분실 및 도난에 대한 보안 및 안정성 보장 - 계정 즉시 동결 가능<br>• 정보 교환은 PBOC/상업 은행의 데이터 보관소에서만, 제3자 결제 기관은 계정 소유자 정보에 액세스함으로 사용자 개인 정보를 보호 |

출처 : Citi, Future of Money, CBDCs, Crypto and 21st Century Cash

## 중국 CBDC 시스템 주요 기능

중국 CBDC 시스템 요구사항은 실용성과 높은 효율성을 보장하고, 장기적인 기술발전을 기반으로 설계되는 형태로 구성되도록 검토되었으며, CBDC 시스템은 처리 능력, 공정한 경쟁 촉진, 정산과 장부대조 기능 향상, 개인정보 보호의 요구조건을 기반으로 시스템 설계를 추진하였다.

중국 CBDC 시스템, 요구 사항

**높은 거래 동시성** 동시다발적으로 결제 가능, 거래 측면에서 중앙집중식 처리 방식 채택

**감독 효율성 향상** 지불 즉시 결재 및 효율적인 오류 처리 가능

**청산 및 장부대조의 효율성 향상** 컨소시엄 블록체인 기술을 기반으로 통합 분산 원장을 구성

**개인정보 보호 및 자금세탁 장비 요건 충족**
- 사용자가 중앙은행 청구권을 직접 보유하는 구조
- 중앙집중식 구조 및 모든 기관 간 거래는 중앙은행을 통한 가치 이전 구조

출처 : Working Group on E-CNY Research and Development of the People's Bank of China

사용자들이 어느 매장이나, 동시다발적으로 결제가 가능하도록 높은 소매 동시성을 보장하고 중앙은행의 중앙집중시 관리가 가능하도록 요구사항을 충족해야 하고, 거래 측면에서는 중앙집중식 처리 방식을 채택하였다. 공정한 경쟁을 촉진하기 위한 감독 효율성을 향상시키고, 청산 및 장부 대조의 효율성을 높이는 구조로 설계하여, 지불 즉시 결제와 효율적인 오류 처리가 가능한 운영 관리 체계를 적용하였다. 그리고 개인정보 보호를 하면서 자금 세탁 방지 요구사항을 충족하도록 디지털 화폐 기반 지불 시스템의 거래 단계 에서 높은 동시성과 짧은 대기시간을 지원함으로써, 민간 결제 업체의 간편 결제와 디지털 화폐의 결제 시스템의 신속성을 보장하도록 구성하였다.

사용자의 중앙은행 청구권을 보장함으로써, 중앙집중식 구조로 설계하여 모든 기관 간 거래는 중앙은행을 통한 가치 이전이 가능한 구조로 구성함으로써, 이를 지원하기 위해 컨소시엄 형태의 블록체인 기술 기반으로 분산 원장을 운영하는 형태로 설계 되었다. 블록체인 기반 분산원장 형태로 중앙은행은 신뢰할 수 있는 기관으로써, 응용 프로그래밍 인터페이스를 통해 거래 데이터를 블록체인에 업로드된 데이터가 사실인지 확인하고, 은행과 같은 운영기관은 기관 간 분산원장에 저장되어 있는 장부를 대조하여 리스크를 최소화하는 형태로 구성되었다.

서로 다른 운영기관 간의 데이터 분리 구현과 개인정보, 금융 데이터 보안을 강화하기 위해, 민감한 거래 정보 대신 해시 다이제스트(Hash Digest[2]) 방식을 채택하여, 보안 리스트 방지 형태로 구성되어 있으며, 계정 유지 관리와 멀티 백업 형태, 스마트 계약을 통한 통화 기능에 영향을 최소한 구조로 설계 되었다.

중국 CBDC 디지털 위안화는 전자지갑을 기본으로 채택하여 개인지갑과 법인지갑으로 구성되어 있으며, 잔액 한도액은 1만 위안(약 174 만원)이며, 1회 결제한도와 일 누적 사용한도는 각각 2천 위안 (약 34만원), 5천 위안 (약 87만원)으로 설정되었다. 디지털 위안화로 2천 위안이 넘는 물건을 구매하게 되면, 신중붕과 계좌정보 등록 등 실명확인 작업을 거쳐 지갑에 대한 업그레이드가 필요하다. 만약, 지갑을 업그레이드 하게 되면, 잔액 한도액이

---

2 해시 다이제스트(Hash Digest)는 수학적인 연산을 통해 암호화된 메세지

50만 위안(약 8천 727만원)으로 상향되고, 1회 결제 한도와 누적 사용 한도는 각각 5만 위안(약 872만원), 10만 위안(약 1천 745만원)으로 확대 된다.

디지털 위안화를 사용하기 위한 전자지갑 개설은 기본적으로 지불거래에 사용되지만, 기업, 병원, 대중교통 운영기관 등도 지갑을 개설할 수 있도록 하였다.

디지털 위안화 지갑은 스마트폰 기반의 앱(App) 형태와 다양한 하드웨어 월렛(Hardware Wallet)을 통해서 사용 가능하도록 제공하며, 디지털 위안화 하드웨어 월렛은 보안 칩 등 기술 기반으로 IC 카드, 웨어러블 기기, 사물인터넷(IoT) 장비 형태로 구성 가능하도록 하였다. 그리고 기존 금융 인프라를 활용 가능하며, 기존 전자결제 시스템과 상호 작용을 지원하여 결제 수단의 호환성을 향상시킬 수 있도록 구성하여 시중은행과 민간 결제업체와의 지갑과 연계하여 디지털 위안화와 은행 계좌 간에 연동되는 구조로 구성되어 있다.

개인정보 보호를 위한 보안 기능으로 디지털 위안화 지갑은 쯔첸바오(하위 지갑)라는 기능을 통해 사용자의 프라이버시를 보호하고, 사용자는 메인 지갑 하위인 쯔젠바오를 개설하여 사용한도를 개별적으로 설정 가능한 기능을 제공한다.

# 중국 CBDC 시스템 구성 요소

중국 CBDC는 One coin, Two Repositories, Three Centers 형태의 구성요소 기반으로 구성되어 있다.

1. One Coin : 중국 CBDC 자체를 의미하며, 중국 인민은행(PBoC)가 보증하고 서명한 특정 금액을 나타내는 암호화된 디지털 문자열 형태를 취하고 있다.

2. Two Repositories : 중앙은행의 발행 데이터베이스와 상업은행의 데이터베이스, 개인 또는 조직에서 사용하는 디지털 통화 지갑을 의미한다.

3. Three Centers : 인증, 등록, 빅데이터 분석 센터로 구성되어 있다.
   - 인증 센터 : 중국 인민은행(PBoC)는 시스템 보안의 기본 구성 요소 이자 제어 가능한 익명성 설계의 중요한 모듈인 금융기관과 최종 사용자 신원정보의 중앙 집중식 관리를 담당하며, 시스템의 초기 단계에서 PBoC는 금융기관의 신원만 인증 및 관리하고 향후 최종 사용자를 위한 인증 지원은 IBC(식별기간 암호화)와 같은 기술을 기반으로 구축된다.

   - 등록 센터 : 중국 CBDC의 각 단위 및 해당 사용자의 신원을 기록하고 발급, 양도 및 상환과 같은 기능을 위해 중국의 CBDC 등록을 담당한다.

- 빅데이터 분석 센터 : 자금 세탁 방지, 결제 행동 분석, 실시간 규제 지표 모니터링 등과 같은 여러 기능을 제공한다.

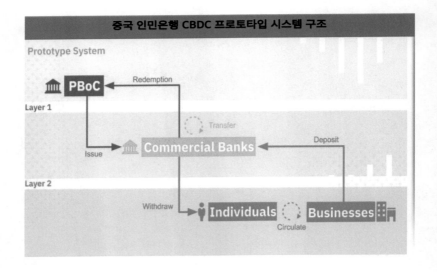

출처 : Digital Currency Research Institue of PBoC, Binance Research

중국 CBDC 시스템의 서비스는 각각의 상업은행이 중앙은행에 CBDC 준비금을 100% 예치하고, 디지털 위안화를 발행하여 상업은행이 이를 대중에게 전달하는 방식이다. 온라인 및 오프라인을 지원하기 위한 환경으로 NFC나 블루투스 기능을 통해서 근처에 있는 스마트폰 끼리 자동이체 및 지불이 가능하게 된다. 중앙은행은 CBDC를 통해 통화주권을 확립하고, 신용, 재정 관리성을 확보 가능하게 됨으로 인해, 자금 흐름을 추적할 수 있게 되면서 계좌 없이도 거래 흐름을 추적이 가능하다.

# 중국 CBDC 서비스 구조

기본적으로 현금과 동일한 기능으로 구성되어 있으며, 중앙은행에서 발행하는 법정화폐로 개인이든 기관이든 중국 내 어느 주체라도 CBDC를 결제수단으로 사용 가능한 구조이다.

중국 CBDC 서비스는 복층 형태로 발행되는 구조로 일반 상업은행에서 DCEP를 먼저 발행하고, 상업은행이 이를 사용자에게 전달하는 방식이다. 중국의 각각의 상업은행은 중앙은행애서 DCEP 준비금을 100% 예치하고 일반 사용자에게 공급하는 구조이다.

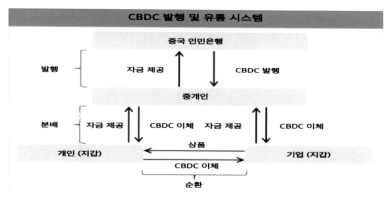

출처 : Digital Currency Research Institue of PBoC, Binance Research

현재 시스템에서 중앙은행은 개인의 간편결제 사용 내역을 직접 확인하기 어려우며, 탈세나 자금세탁이 의심될때도 개인의 거래 내용을 살펴보는건 사정기관 권한의 문제로 인해 자금 흐름을 추적하기가 어려운 구조였지만,

디지털 위안화가 상용화 되면 중앙은행은 누가 어디에서 무엇을 구매했고, 누구에게 돈을 얼마나 보냈는지 알 수 있어, CBDC를 통해 자금 흐름을 추적할 수 있있고, 현금을 통한 지하결제가 사라지는 장점이 있는 반면에 개인의 경제활동이 노출된다는 단점이 있다.

디지털 위안화는 온라인이나 인터넷이 없이도 가능한 오프라인 거래를 할 수 있도록 지원하는 형태로, NFT나 블루투스 기능을 통해 가까이 있는 스마트폰 끼리 자동으로 이체 및 지불이 가능하다. 중국 정부는 디지털 위안화를 통화주권 확립과 신용, 재정 관리성을 재고할 목적으로 추진하고 있음으로 인해, 계좌가 없어도 거래 흐름을 추적할 수 있도록 구성되어 있다.

## 중국 CBDC 시스템 특징

중국 CBDC 시스템은 기본적으로 4 가지의 특징으로 구성되어 있다.

1. 관리 가능한 익명성 매커니즘(Manageable anonymity mechanism)
중국의 CBDC는 " 느슨하게 결합 된 " 디자인을 채택하여 은행계좌 없이 자금을 이체 가능하도록 구성되어 있으며, 대부분의 국가에서 전통적인 지불 또는 자금이체가 작동하는 방식과 달리 은행계좌 없이 두 당사자간에 양도할 수 있다. CBDC의 최종 목표는 " 관리 가능한 익명성 "을 달성하면서 현금만큼 높은 사용률을 보장하는 것으로 CBDC의 1 계층 네트워크에서는 실명기관이 등록되고, 2 계층 네트워크에서의 전송은 사용자 입장에서 익명으로 처리되도록 구성되어 있다.

## 2. 암호화 알고리즘(Encryption Algorithms)

중국의 CBDC는 암호화 및 합의 알고리즘에 의해 검증된 디지털 원장의 형태로 디지털 지갑에 저장되는 구조로 프로토타입 CBDC의 제안된 모델은 EXPCBDC로 CBDC의 암호화된 표현식이며, ATTR은 표현식에 포함된 속성 세트이다. ATTR에는 Crypto는 속성 집합의 암호화 프로세스, Sign은 식에 대한 서령 계산으로 구성되어 있다. 이 속성 집합에는 id = 사용자 ID, 값 = 금액, 소유자 = 소유자 정보, 발급자 = 발급자 정보, ExtSet = 확장 가능한 속성 집합과 같은 정보가 포함된다.

기본 프로세스는 정보 메타 데이터를 암호화한 다음 서명 작업을 수행한 다음 CBDC 출력을 위해 암호화된 문자열을 수신하는 방식으로 지갑과 관련하여 디지털 지갑이 어떻게 작동하는지에 대한 정보는 거의 없으며, 디지털 위안화가 처리되는 특정 통화 네트워크에 따라 모바일 장치, 개인용 컴퓨터 또는 물리적 IC 카드에서 엑세스 할 수 있다.

## 3. 스마트 계약 가용성(Smart Contract Availability)

중국 인민은행(PBoC)은 CBDC가 스마트 계약으로 필요 기능을 제공할 수 있지만 " 기본 통화 요건 " 이상의 기능을 제공하는 스마트 계약은 적용하지 않는 방식을 채택하였으며, 이는 CBDC에 추가적인 가치를 추가하고 CBDC를 일종의 보안으로 " 다운 그레이드 " 하여 안정성과 유용성을 감소시켜 위안화의 국제화에 부정적인 영향을 미칠 수 있다는 우려 사항을 고려한 것이다.

중앙은행이 디지털 화폐에 대해 프로그래밍이 되고 확장 가능해야 하며, 스마트 계약을 통해 자동화되고 신뢰할수 있는 실행을 포함한다면 법적 디지털 화폐 개발을 위한 새로운 방법을 적용 가능하도록 구성할 수 있다. 블록체인 기반 디지털 노드를 사용하는 거래 플랫폼의 시뮬레이션 테스트에서 유동성 관리를 위한 스마트 계약의 도입이 거래 효율성을 대폭 향상시키는 결과를 확인하였다.

4 . 개인정보 보호 및 익명성 (Privacy and Anomymity)
중국 CBDC의 거래가 사용자 관점에서 익명을 보장하는 동시에 자금 세탁, 테러 자금 조달 및 탈세를 방지하도록 설계되었으며, 익명성과 AML / CFT / ATA 작업 사이의 " 균형을 맞추는 것 " 을 목표로 시스템을 구축하였다. 중국의 CBDC는 현금처럼 익명이더라도 불법 행위의 도구가 될 가능성이 적으며, 두번째 계층의 PBoC와 금융기관 모두 의심스러운 거래에 연루된 경우, CBDC 또는 계정을 즉시 동결 가능하거나, 네트워크에서 불법적인 활동을 억제하도록 구성되어 있다.

Yao Qian의 2018년 버전 프로토 타입 시스템에 따르면 중국의 CBDC 표현식에는 사용자 ID와 소유자 정보가 포함되어 있어,  CBDC가 거래될때마다 새 소유자의 ID가 포함된 새 CBDC 문자열을 생성하고 트랜잭션이 사용자 수준에서 익명이더라도 각 개별 CBDC 단위의 전체 전송 이력을 검색

하는 것이 여전히 가능하도록 되어 있음으로 인해, 프라이버시 가상화폐와 달리 중앙은행은 정보를 수집할 수 있으며, 신원은 개별 지갑에 연결된 가능성이 높음으로, 완전한 익명성을 보장할 수 있는 구조로는 구성되지 못한 상황이라, 익명성 보장을 위한 프로세스와 정책을 지속적으로 개선이 필요한 부분이다.


# 중국 CBDC 월렛

중국 디지털 위안화를 활용하고, 접근성과 편리성을 위해서는 디지털 지갑 서비스가 제공되어야 하며, 우리가 알고 있는 가상화폐 거래와 관리를 위한 메타마스크(MetaMask)가 제공되는 기본적인 기능이 포함된 형태로 구성되어 있다.

그리고 간편결제 업체가 제공하는 QR 코드나 바코드 방식을 채택하여, 간편 결제의 기능을 제공하고, 그 외에 은행이 제공하는 서비스를 제공하고 있다. 이는 기존의 은행의 은행 앱 서비스 기능 외에 CBDC가 별도의 기능으로 추가되면서, 새로운 국가 차원의 간편결제 서비스가 제공된다고 볼수 있다.

2021년 1월 발표된 중국 개인정보 보호법에 따라 중앙은행, 상업은행, 결제 서비스 제공업체 모두 계좌에 연결된 개인정보에 접근할 수 없으며,

보안을 위해 디지털 인증서 시스템, 디지털 서명, 암호화된 저장 장치를 결합하여 위조, 거래 위조 또는 가역성, 이중 지출의 가능성을 방지하는 구조를 채택하고 있다.

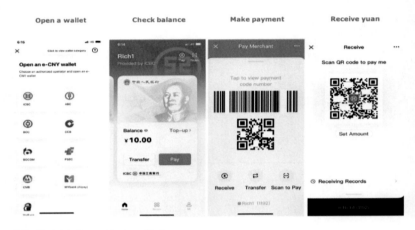

출처 : Blockchain Research Institute, PBoC

이와 같은 정책은 디지털 위안화 지갑도 동일한 정책을 준수하고 있으며, 이중 오프라인 결제를 할 수 있는 구조로 지불인이 근거리 통신 기술을 통해 수취인에게 자금을 이체할 수 있도록 제공해야 함으로 인해, 은행 계좌 없이 통합 회로 카드를 기반으로 보안 칩을 갖춘 " 스마트폰이 필요 없는 하드웨어 지갑 "을 사용할 수 있도록 지원하기 위해 디지털 위안화 지갑도 이에 따른 요구조건에 부합된 기능을 제공하는 구조로 구성되어 있다.

# 제 8 장

## 디지털 화폐 (CBDC) 도입 이유

# 08 디지털 화폐(CBDC) 도입 이유

    전세계적으로 지불 수단이 오프라인 거래에서 온라인 거래와 카드 결제로 빠르게 전환되면서, 기존 법정통화인 지폐나 동전과 같은 현금 사용률이 낮아짐으로 인해, 중앙은행은 지불 통제 및 통화정책 실행 능력을 상실할 수 있다는 위기감을 가지게 되었다. 고객들은 은행 지점을 방문하는 대신에 모바일 앱을 통해서 금융 서비스를 이용하게 되고, 은행 계좌 대신 휴대폰을 통해 지불 수단으로 활용하는 빈도수가 증가하게 되었다.

    결제 시장의 다변화와 비트코인과 같은 가상화폐의 등장으로 인해, 선택의 폭이 넓어지면서 중앙은행과 은행의 영향력이 감소함에 따라, 이러한 변화에 대응하기 위해 새로운 기술을 통합하고 개발해야 할 필요성이 증대되었다.

    중앙은행은 급격한 시장의 변화에 따른 위기 상황에 대처하기 위한 방안으로 자체 디지털 화폐를 도입하는데 따른 재정적, 경제적 효과에 대해 관심을 가지기 시작하였으며, 이를 지원하기 위한 새로운 인프라로의 전환에 대한 필요성이 대두되었다. 그리고 금융 위기 이후로 각국 중앙은행은 기존 금리를 제로 수준까지 마이너스 금리 정책을 반영했지만, 경제 진작에 효과가 크지 않아서, 이를 타개할 대안으로 중앙은행 디지털 화폐에 대한 논의가 시작되었으며, 세계 경제의 충격에서 벗어나는 동시에 통화정책 정상화가 시행되면서 본격 검토가 시작되었다.

이를 대변하듯, 가상화폐에 대한 관심이 늘면서 이를 계기로 중앙은행 디지털 화폐(Central Bank Digital Currency, CBDC)에 대한 논의도 활성화되었다. 구글 트랜드에서 확인되는 CBDC 검색 노출도가 2019년 말부터 증가 추세를 보였다.

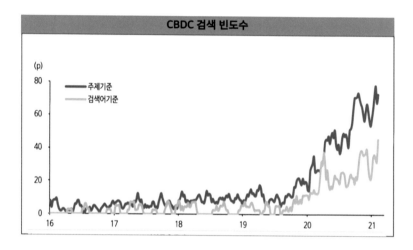

출처 : Thomson Reuters, Blloomberg, 신한금융투자

전세계 주요 중앙은행들이 코로나(COVID-19) 대유행으로 인해, 비대면과 언텍트 환경의 필요성이 증대되면서, 사회의 디지털화를 가속화시키고 화폐를 사용하는 방식의 변화를 야기시켰다. 많은 국가들이 사회적 거리 두기를 시행하고, 사람들이 집에 머무르는 시간이 증가함으로 인해, 온라인 거래가 증가하게 되면서, 실용적인 지불 방안으로 CBDC가 대안으로 적극 검토되기 시작했다.

각국 정부는 코로나 팬데믹으로 인한 소비 위축 우려로 인한 소비 진작을 위해 풀었던 재난지원금이나 지역화폐 등이 CBDC 형태로 더 효과적으로 전달될 가능성이 높을 것으로 보면서, 이를 도입하기 위한 중앙은행들의 횡보가 빨라지고 있으며, CBDC가 경기 부양 효과를 극대화 할 수 있는 대안으로 검토되면서, CBDC 상용화가 될 시기가 최대 5 년에서 3 년내에 시행될 것으로 전망된다는 블록체인 회사 가드타임(Guardtime)은 보고서를 제출했다.

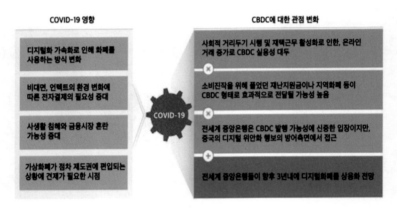

출처 : Guardtime

각국 중앙은행들이 CBDC 도입을 검토하면서 기존 은행 시스템의 변화에 대한 영향도 및 위험성에 대해 사전 검토하고 은행 시스템의 변화와 상업은행을 지원하기 위한 규제 체계의 변화도 같이 검토가 필요하게 되었으며, 은행 간 예금 경쟁이 치열해 질 것으로 예상되면서 예금 금리가 높아지고 저축과 대출을 장려하는 새로운 혁신에 대해 검토가 필요하게 되었다. 은행은 기존의 수익 모델에서 새로운 수익 창출을 위한 영업 위험이나 수익성, 그리고 위험성이 높은 자산에 투자하는 필요성의 증가로 인해, 위험성이 커질 수 있는 악영향도 예상된다.

현재의 국내 및 국제 총액결제(Gross Settlement) 모델은 복잡한 결제 처리 프로세스로 인해, 수일의 시간이 소요되는 비효율적인 형태로, 가격 기간 높은 수수료, 낮은 접근성 문제로 인해 사용률이 낮아지는 상황에 직면하게 되었다. 신흥 시장의 개인과 기관들의 국제 결제 내트워크에 접근성에 어려움이 있으며, 특히 이주 노동자들의 본국으로 송금 시, 높은 수수료로 인해 제 3의 방안으로 브로커나 가상화폐를 통한 송금을 활용하는 사례가 많아지게 되었다. 가상화폐가 부각되는 시점에서 한국내에 제 3 국으로의 비트코인이나 그 외의 가상화폐를 통해서 대행으로 송금을 해주는 업체가 등장하면서, 기존 국제 송금 네트워크의 효율성이 현저히 떨어지고 있으며, 기존의 시중은행과 금융기관들도 새로운 송금 서비스를 발굴하고 연계하기 위해, 가상화폐의 리플이나 결제 서비스 업체와의 연계를 통한 간편 국제 송금 서비스를 확장하는 추세이다.

이러한 문제점을 개선하는 방안으로 시장차익거래 업체(Market arbitrageurs), 가격공시기관(Price-Reporting Agencies). 벤치마크 제공 업체, 정보대칭성을 활용하여 가치를 창출하는 비즈니스를 보유한 업체들에 대한 필요성을 최소화하고, 물리적인 화폐의 발행, 운송 및 관리 비용절감을 실현할 수 있는 효과적인 방법을 실현할 수 있는 기반 기술의 성숙도 증가로

CBDC를 통한 결제 문제를 완하고 해결할 수 있는 가능성이 높아짐으로 인해, CBDC에 대한 관심이 급증하면서, 이를 통한 새로운 결제와 국제 송금 네트워크 구축을 위해 도입을 위한 검토를 시작했다.

현재 약 17 억명 정도의 금융취약 계층의 존재로 인해, 이를 지원할수 있는 금융 인프라의 한계에 직면하면서, 금융서비스의 접근성을 높이기 위한 방안에 대한 필요성이 증대됨에 따라 이를 지원하기 위한 방안으로 디지털 원장 기반 금융 시스템으로 개선함으로써, 기존의 금융취약 계층을 금융 시스템 으로 편입시킬 수 있는 방안으로 부각 받고 있다.

디지털 원장 기반 기술은 블록체인을 통해 인프라를 구축하여, 각국은 분산원장 기반으로 디지털 화폐를 사용함으로써, 접근성의 확대와 더불어 기존 금융기관의 정규적인 처리 없이도 고객 유치 및 고객 관련 문서화를 P2P 기반으로 처리 가능함으로 인해, 세금 징수와 추적성을 개선할 수 있다.

분산원장 기반 CBDC를 통해 기존에 금융 서비스의 인프라를 구축하는데 많은 시간과 비용이 소모되었다면, 금융 인프라를 빠르게 구축하고, 다양한 매개체를 연계하여 간소화됨으로 인해, 신흥 국가나 인프라 네트워크가 부족한 국가들이 가장 적극적으로 지지를 하는 이유 중에 하나이다.

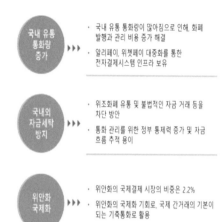

| 국내 유통 통화량 증가 | ▶▶▶ | · 국내 유통 통화량이 많아짐으로 인해, 화폐 발행과 관리 비용 증가 해결<br>· 알리페이, 위챗페이 대중화를 통한 전자결제시스템 인프라 보유 |
| 국내외 자금세탁 방지 | ▶▶▶ | · 위조화폐 유통 및 불법적인 자금 거래 등을 차단 방안<br>· 통화 관리를 위한 정부 통제력 증가 및 자금 흐름 추적 용이 |
| 위안화 국제화 | ▶▶▶ | · 위안화의 국제결제 시장의 비중은 2.2%<br>· 위안화의 국제화 기회로, 국제 간거래의 기본이 되는 기축통화로 활용 |

**달러화 패권 대비**

디지털 기축통화 역할을 미국이 주도할 수 있다는 우려상황 대비 (세계 패권 전술)

디지털 위안화 국제화 및 디지털 화폐 선도국 (베이징 동계 올림픽)

**체제 강화, 국민 통제 수단 활용**

시진핑의 '신(新) 발전구도'의 경제 및 '인류 운명공동체' 추진 전술

**금융 개혁의 수단**

자본 규제로 유동성 한계 극복을 위한 수단

금융 및 결제시장, 데이터 독점 및 관리

출처 : 중앙은행 보고서, Boston Consulting Group(BCG)

국가별 주요은행들은 코로나 펜데믹 영향으로 인해 많은 비용을 들여 화폐를 보관하고 사용하는 현금을 수시로 소독하는 상황으로 운영을 위한 관리 비용이 증가하게 되었으며, 이러한 문제점을 개선하기 위해 화폐의 보관, 사용 등 결제 시스템을 모두 정보통신(IT) 기반으로 구성할 수 있는 디지털화 된 방안을 검토하게 되면서, CBDC를 통해 디지털 화폐를 기반으로 발권 비용을 절감하는 효과를 가져올 수 있을 것으로 판단하면서, 디지털 화폐 기반의 인프라와 결제 네트워크에 대한 연구가 시작되었다.

CBDC를 기반으로 하는 디지털 화폐 처리 인프라를 통해, 기존 관리 비용의 절감 효과도 있지만, 모든 결제활동에서 발생하는 과세근거 추적이 가능해 짐으로 인해, 위변조 및 자금 세탁 등의 범죄에 사용될 리스크를 축소할 수 있어, 중앙은행 입장에서는 일석이조의 효과를 거둘 수 있는 방안으로 적극적인 검토를 하게 되었다.

중앙은행은 CBDC를 통해 개인에 대하여 국가가 개입하거나 통제가 가능한 환경이 조성이 가능함으로 인해, 국가 및 국내에 대한 강력한 통제수단이 중앙정부가 확보함으로써, 개인이 보관하고 있는 디지털 화폐를 통제할 수 있어, 이를 악용할 문제점이 존재한다. 특히, 중국은 디지털 위안화를 통해 모든 거래 내역을 감시하고 추적하며, 거래자들의 실명 확인을 위한 목적으로 추진함으로써, 기존의 물리적 화폐의 사용보다 제약사항이 큰 것이 아닌가 하는 우려의 목소리가 큰 상황아다.

이러한 CBDC의 프라이버시 보장에 대한 딜레마를 어떻게 풀어 나갈 것인지에 대해 여러가지 방안을 검토 중에 있으며, 유럽중앙은행제도(ESCB)에서는 소액에 한하여 중앙당국의 모니터링 및 승인 없이 처리하는 방식으로 어느 정도 프라이버시를 보장하는 방안을 검토 중에 있다. 디지털 화폐 사용에 대한 익명성 보장을 어느 정도 수준까지 가능하게 할 것인지에 대해 기술 개발을 시도 중이나, 이력 추적을 불가능하게 하거나 익명성을 처리하는 방식은 어려운 상황이다. 디지털 화폐인 CBDC가 은행에서 고객 전자지갑으로 넘어간 후에 추적이 불가능한 조건을 부여한다는 것은 정보통신망에 기본적으로 노출이 되어야 하는 특성상 추적이 가능해 짐으로 인해, 익명성을 보장하기란 어려운 문제이다.

"중앙은행은 소비자의 현금 인출을 제한하거나 금지할 수 있고 세금을 부과할 수 있다"

"중앙은행이 가계 인출에 대해 더 많은 권한을 갖게 할 수 있는 게임 체인저는 디지털화폐가 될 것"

"중앙은행이 미시경제적 장치들을 조절할 수 있고 이와 함께 통화에 마이너스 금리를 쉽고 빠르게 부과할 수 있다는 것에 있다"

"일본은 다른 중앙은행 및 관련 기관과 협력하면서 CBDC 도입을 고려"하면서 실험의 목적으로 "기술적 관점에서 CBDC의 타당성을 확인

일본 '2020년도 경제재정 운영 개혁의 기본방향'에는 "기술적인 검증을 목적으로 중앙은행 디지털통화 실증실험을 검토, 실시한다"라는 방향성 재검토

출처 : 일본중앙은행(BOJ), 영국 중앙은행

만약, CBDC를 각국의 중앙은행이 강제적으로 추진하게 된다면, 국민들의 반대와 저항으로, 전면적인 대체는 불가능한 상황에 직면할 수도 있음으로 인해 이를 효과적으로 적용하는 방안을 각국의 중앙은행들은 고심하고 있다. CBDC의 단점 중에 하나인 익명성 보장 부분은 다음 제 9 장에서 효과적인 방안과 추진 현황을 알아보도록 한다.

# 제 9 장

## CBDC 도입 이점 및 과제

# 09 CBDC 도입 이점 및 과제

　각국 중앙은행은 자체 디지털 화폐로 CBDC 도입 논의가 시작되기 시작하면서, 이를 뒷받침하기 위한 기술적 한계로 구체화되지 못하는 상황에서 블록체인의 기술적 기반인 분산원장과 이를 활용한 가상자산시장이 활성화되면서 CBDC에 대한 관심이 증가하게 되었다.

　CBDC 도입은 기존 금융 시장의 큰 변화를 불러오게 되는데, 지불경제의 시장의 다변화로 인해 은행의 지급 능력에 의존할 필요가 없는 상황이 도래하면서, 은행의 의존성이 약하됨으로 인해 지각 변동이 불가피 하지만, 금융 소외계층을 위한 접근성 강화로 인해, 다변화된 금융 서비스를 제공할 수 있게 되는 기회를 제공할 수 있다.　기존 중앙응행의 증권 청산 및 결제 비용, 자산 이전을 위한 비용이 연간 500 달러 이상에 달하는데, 블록체인 기반 대규모 분산형 인프라와 자산 등록부 역할을 안전한 지불 시스템 구축을 통해 가능하게 되며, 인프라의 비효율성과 취약성 개선을 통한 금융 안정성에 대한 보장을 강화할 수 있다.

　국경 간 지불 시스템 문제인 국가별 은행을 통한 자산 및 민감한 거래 데이터 이전에 대한 운영 노출되는 문제점을 보완하기 위해, 높은 비용을 지불하며 보안을 강화하고 있지만 한계에 다다르고 있는 실정이다.

보안 강화를 위한 효과적인 방안으로 디지털 화폐 기반으로 거래 데이터 암호화와 기관과 개인의 결제 내역, 이를 위한 인프라 운영을 효과적으로 개선할 수 있어, 비용절감 효과를 기대할 수 있다.

**CBDC 도입을 통한 이점 및 영향**

| 기존 결제 인프라 개선 | 은행에 미치는 영향은 ? |
|---|---|
| • 비용 절감 및 장애 개선을 통한 지불 처리 속도와 효율성 향상 | • CBDC 발행은 은행의 탈금융중개화 (Bank disintermediation) 및 디지털 뱅크런 등과 같은 상황을 가속화하는 매개체 |

재정적 포용 촉진
• 금융서비스의 취약계층을 위한 접근성 개선 및 개인간 (P2P) 지불 서비스 강화

기존 민간가상자산 시장에 미치는 영향은 ?
• 민간가상자산 투자를 제한하지 않는 조건하에 큰 영향은 없을 것으로 예상
• 결제수단으로써의 민간 가상자산에 대한 수요는 감소할 것

글로벌 경쟁력 강화
• 상호운영성 기반 금융의 진입 장벽 낮추고, 글로벌 시장에 대한 접근성 향상

혁신 촉진
• 새로운 금융서비스의 기반이 될 스마트 계약 및 프로그래밍 가능한 디지털화폐와 같은 디지털 기술 사용

CBDC 발행이 통화정책에 미치는 영향은 ?
• CBDC 발행은 내수촉진, 디플레이션 완화 등 통화정책 효과 증대 예상
• 마이너스 금리 정책 적용으로 인해, 새로운 통화정책 수단이 될 것

금융시장 통제 유지
• 중앙은행이 통화정책의 주권 유지 및 대체 통화 시장 통제

출처 : Ripple, The Future of CBDCs, 국제금융센터

CBDC 도입은 국가별 이점의 차이는 있지만, 지급결제 개선과 금융의 혁신을 위한 중요한 매개체로 인식하는 것은 전반적으로 동의하고 있으며, 이에 대한 연구를 지속하고 있다. CBDC는 글로벌 경쟁력 강화를 위한 상호 운영성을 기반으로 금융의 진입 장벽을 낮추고, 글로벌 시장에 대한 접근성 향상과 새로운 금융서비스의 기반이 되는 블록체인의 디지털 기술을 활용해 디지털 화폐 형태로 구축하는 것이다. CBDC 도입을 통해, 다양한 이점이 존재하지만, 기존 시중은행이나 민간가상자산, 통화정책에 영향도가 어느 정도인지를 CBDC 도입 연구와 함께 같이 고민해야 하는 과제이다.

기존 시중은행 입장에서는 은행예금에 대한 대체제로 간주될 경우, CBDC 발행은 은행의 탈금융중개화(Bank Disintermediation)와 디지털 뱅크런 등으로 이어질 수 있다는 우려가 존재한다.

기존 민간 가상자산에 대한 부분은 양자간 목적과 기반 수요가 다르기 때문에 CBDC를 통해 정책적으로 민간 가상자산 투자를 제안하는 것이 아닌 이상 큰 영향은 없을 것이라는 평가가 우세하지만, 결제수단으로서 민간 가상자산에 대한 수요는 감소할 것이라는 의견이 다수이다. 그리고 CBDC 발행이 통화정책에 미치는 영향은 내수 촉진, 디플레이션 압력 완화 차원에서 통화정책 효과를 증대시킬 것으로 예상하고 있으며, 특히 마이너스 금리 부과가 가능하여 새로운 통화정책 수단이 될 것으로 예상하고 있다. 이를 통해 기존 결제 인프라 개선 비용과 실패율을 줄이면서 지불속도와 효율성을 높이고, 은행이 없거나 은행을 이용할 수 없는 소외계층을 위한 금융 서비스에 접근성을 높이고, 개인간 직접 지불을 강화할 수 있는 환경이 조성 가능하다.

이와 같이 CBDC는 금융시장의 지불과 결제 시스템 개선을 위한 기회를 제공할 것으로 보고 있으며, 효율적이고 안정적인 지불 능력 제공과 탄력적인 결제 환경과 같은 미래의 지불 요구사항을 충족할 수 있을 것으로 보고 있다.

디지털 경제의 미래 지불 요구사항과 실시간 총액결제(RTGS) 서비스의 개선을 바탕으로 소비자에게 더 많은 선택권을 지원하는 서비스를 창출 가능하며, 현금 사용률 감소와 스테이블 코인과 같은 새로운 형태의 Private

Money가 발행되면서 안정성과 신뢰성을 보장할 수 있는 결제 서비스 제공이 가능할 것으로 보인다. 그리고 국경 간 지불 시스템을 위한 새로운 형태의 모델 적용을 통해 상호 운용성 향상과 금융 서비스 안정성 개선이 가능할 것으로 각국의 중앙은행들은 보고 있다.

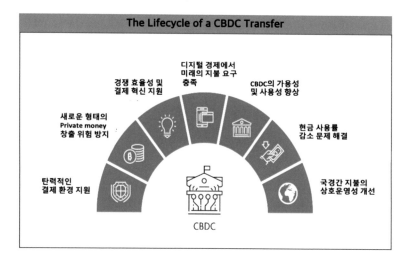

출처 : Bank of England, Central Bank Digital Currency opportunities, challenges and design

CBDC 도입은 양적완화와 시너지 효과가 크지만, 금융 및 경제체제, 기술에 대한 접근이 필요한 과제가 존재한다. 마이너스 금리 정책을 CBDC와 캐시리스와 함께 융합하면 정책의 효율성이 증대 되고, 마이너스 금리가 시행 되면, 예금자가 현금 보유를 위해 예금 인출이 가능하게 되고, 현금 인출과 축적에 대한 억제를 시킬 수 있다. 하지만 CBDC 발행이 은행의 본질적인 기능인 자금 중개기능을 약화 시킴으로써, 은행예금이 CBDC로 대체됨으로 인해 예금잔액이 크게 감소하여 은행의 자금조달비용이 확대되어 대출능력 감소로 이어지게 되고 은행의 역할이 축소될 수 있는 우려 상황이 도래 할 수도 있다.

은행의 탈금융중개화와 디지털 뱅크런을 방지하기 위해서 적절한 이자수준 설정과 보유, 거래한도 명시 등의 방안을 동시에 검토해야하는 상황이다. 이러한 과제가 존재함에도 현금관리 비용절감과 금융포용 증진, 통화정책의 유효성 제고와 같은 CBDC 도입을 통한 잠재적인 편익이 큼으로 인해,  각국의 중앙은행들은 CBDC 도입이 거스를 수 없는 대안으로 보고 있다.

| CBDC 잠재적인 편익과 과제 | |
|---|---|
| **잠재 편익** | • 현금관리비용 절감<br>• 금융포용 증진<br>• 결제 시스템의 경쟁 및 시장규율 제고<br>• 새로운 민간 디지털화폐에 대응<br>• 분산원장기술 지원<br>• 통화정책의 유효성 제고 |
| **과제 및 문제점** | • 은행부문의 탈중개화<br>• 뱅크런 위험<br>• 중앙은행의 B/S 확대<br>• 통화대체(dollarization) 따른 국제금융시스템에 대한 영향도<br>• 중앙은행의 운영 리스크 |

출처 : Central Bank Digital Currencies: 4 Questions and Answers, IMF

시중은행의 영향에 대한 문제점도 존재하지만, CBDC 발행은 중앙은행의 통제권 하에 운영 및 관리됨으로써, 디지털 인프라를 통한 국가의 통제권 강화하기 위한 수단으로써 검토되고 있고 추진되는 사례가 존재하며, 디지털 화폐 사용기록이 분산원장에 저장됨으로 인한 개인사찰과 감시에 노출될 수 있으며, 핸드폰이나 은행계좌가 없는 사회 소외계층은 디지털 화폐를 사용할 수 있는 기회조차 얻을 수 없는 환경에 직면할 수 있다.

디지털 화폐 기반의 인프라로 인해 발생할 수 있는 거래 데이터와 투명성을 보장한다는 명목하에 노출되는 개인정보 보호와 상반되는 구조는 CBDC를 추진하는데 걸림돌로 작용할 것이며, CBDC가 상용화 되더라도 개인이나 기업은 디지털 화폐를 사용하는데 주저하게 될 것이다. 이러한 익명성 보장을 위해 블록체인 기술 중에 영지식 증명(ZKP)이나 자기주권신원증명(DID)과 같은 다양한 기술을 접목하여, 개선하는 방향으로 검토되고 있지만, 최적의 서비스 형태는 아직 검토 단계로 볼 수 있다.

CBDC 도입으로 인해 발생할 다양한 변화 즉, 금융시장의 불안을 수반할 수 있음으로 인해, 도입 목적과 범위에 따라 영향도를 사전에 파악하여 추진해야 한다. 국제 금융시장에서 통화의 존재감이 약한 신흥국의 경우 소비자가 자국 통화보다 외국의 CBDC를 더 많이 사용할 경우에 통화 정책의 독립성을 저해할 우려가 있으며, 국가간 CBDC 유통 허용 여부는 송금과 지불이 이루어지는 국가의 중앙은행의 승인을 받는 정책적인 가이드라인이 먼저 구축이 필요하며, 이러한 국가간 통용적인 가이드라인을 수립하는 것이 어려운 과제중에 하나이다.

CBDC 도입의 목적을 경기 회복의 수단과 혁신을 통한 성장을 기반으로 추진되어야 하며, 각국의 상황에 금융 시스템에 맞게 적합한 모델과 정책을 수립해야 한다.

CBDC가 상용화 된다면, 중앙은행이 통화정책을 즉각적으로 시행이 가능하고, 실물경제와 직접 연계를 통해 경제회복의 매개체 역할을 수행할 수 있는 수단이 될 것이다. CBDC 발행을 통해 중앙은행은 디지털 화폐에 마이너스 금리를 직접 적용할 수 있으며, 기존 실물화폐에 대한 미미한 영향도는 증대될 것으로 예상되며, CBDC를 사용 시에 신용카드나 간편 결제와 달리 수수료가 없음으로 인해 기존 결제시장의 변화를 통해 경쟁력을 강화할 수 있을 것이다. 이러한 상황으로 대출 수요가 늘어나게 될 것이며, 이에 따라 경제 활성화 및 통화가치 상승 억제 능력향상으로 국제무역에서 이점을 확보할 수 있게 될 것이다.

## CBDC 상용화를 통한 변화되는 영역

- CBDC 이자지급 -> 은행예금 이탈 -> 은행의 신용공급능력 제한 -> 통화정책 효과 약화

- CBDC 금리 조정 -> 은행 여수신금리 변화 -> 새로운 통화정책 경로

- 경기침체 때, 마이너스 CBDC 금리 -> 소비 촉진, 시장금리와 은행 여수신금리 하락

- 경기침체 때, 민간에 직접 CBDC 지급 -> 소비촉진 -> 새로운 양적완화 수단

# 제 10 장

## 성공적인 CBDC를 위한 설계 원칙

# 10 성공적인 CBDC를 위한 설계 원칙

CBDC 도입을 위해서는 경제와 기술적 원칙을 고려하여 디지털 인프라를 검토하고, 효율성, 접근성, 안정성을 반영한 설계가 필요하다.

블록체인 기반 CBDC를 도입하는 경우, 전체 결제 시스템을 재정비하고 더욱 효율적이고 접근하기 쉬우며, 안전한 시스템을 만들어 나갈 수 있다. 탈중앙화 CBDC 접근법을 이용하는 중앙은행은 신기술인 블록체인을 바탕으로 구축된 시스템의 주요 설계 원칙에 따라 첨단 인프라를 개발할 수 있다.

성공적인 CBDC 도입을 위해서는 총 5 가지의 대표적인 접근 항목으로 CBDC 설계를 위한 사전 점검과 방향성, 그리고 목적을 명확히 정의해야 한다.

CBDC 도입을 위한 인프라 구축을 위한 설계를 위한 최적의 방안과 적합한 디지털 기술 기반 인프라 형태, 중앙화된 시스템이나 탈중앙화 시스템을 별도로 구축할 것인지 아니면 병합하여 구축할 것인지를 판단해야 한다. 만약, 탈중앙화 시스템을 단일로 구축하게 된다면, 블록체인 기술 기반으로 시스템의 주요 설계원칙에 따라 설계를 할 수 있으며, 기존 금융시스템의 단일 장애 문제 해결 및 블록체인이 제공하는 암호화 기술을 활용하여, 유연한 보안 수준을 구축하고 정책을 반영할 수 있다.

사용자 중심 디자인

CBDC는 사용자 경험을 우선시
하여 접근성, 단순성, 직관성을
보장해야 합니다. 이 접근 방식
은 더 광범위한 채택과 사용자
만족도를 보장합니다.

개인 정보 보호 및 투명성

사용자 개인 정보 보호와 시스템 투
명성 사이의 균형을 유지하는 것이
중요합니다. CBDC 시스템은 사용자
의 금융 데이터를 보호하는 동시에
투명성도 제공해야 합니다.

보안 및 탄력성

CBDC는 사이버 위협에 대응하기 위해
강력한 암호화, 안전한 거래 처리 및 탄
력적인 인프라를 통합해야 합니다.

확장성

CBDC 인프라는 채택이 증가함에 따라 효율적으
로 확장되어야 하며 증가하는 거래량을 처리할
수 있도록 보장해야 합니다.

상호 운용성

기존 금융 시스템 및 기타 CBDC와의 원활
한 통합이 필수적입니다.
이러한 상호 운용성은 원활한 사용자 경험
을 보장합니다.

    탈중앙화 시스템은 높은 확장성과 CBDC 인프라와 정책의 통제권을 중앙은행에 권한이 부여됨으로 인해 이를 효율적으로 관리하고 서비스 운영을 할 수 있는 기반 환경을 같이 고민해야 한다.

    국가별 디지털 인프라 및 형태, 그리고 금융 시스템의 유형에 따라, 중앙은행이 제공할 CBDC 서비스가 제공할 범위와 통제, 관리 범위를 산정하여 적합한 유형의 형태를 사전에 정립해야 한다. 현재 중앙 집중화된 금융 시스템과 결제 시스템이 제공하고 있는 접근성과 처리 속도에 대한 문제점 및 요구조건에 부합되지 못하는 상황에 대한 검토가 필요하며, CBDC의 서비스와 운영 측면과 함께, CBDC 도입에 따른 금융정책에 미치는 영향도와 경제 및 정치 측면에서 미치는 영향도를 같이 검토해야 한다. CBDC 도입에 따른 국가차원의 금융과 결제 시스템의 대변혁이 일어날 수도 있음으로 인해,

도입의 효과보다 변화에 따른 지불 비용이 더 클 수도 있음으로, CBDC 추진
목적을 달성하면서, 연계하는 방향을 찾아야 한다.

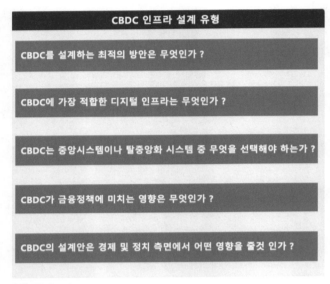

CBDC 인프라 설계 유형

CBDC를 설계하는 최적의 방안은 무엇인가 ?

CBDC에 가장 적합한 디지털 인프라는 무엇인가 ?

CBDC는 중앙시스템이나 탈중앙화 시스템 중 무엇을 선택해야 하는가 ?

CBDC가 금융정책에 미치는 영향은 무엇인가 ?

CBDC의 설계안은 경제 및 정치 측면에서 어떤 영향을 줄것 인가 ?

출처 : Blockstack

## CBDC 도입을 위한 요구 조건

CBDC 도입을 위한 요구 조건은 총 3 가지 항목으로 검토하게 된다.

첫번째로 지불시스템의 안정성(Reliable)과 탄력성(Resilient)을 보장하는
조건을 반영하는 것이다.  모든 CBDC 지불 시스템은 장애와 같은 상황에서
복구 프로세스 구축과 신용과 유동성 위험을 최소화할 수 있어야 한다.

CBDC는 사기와 사이버 공격에 대해 최고 수준의 사이버 보안 유지가 필요하며, 다운타임(Down-time) 없이 연중 무휴 없는 지불 서비스 제공이 필수 조건이다. 그리고 CBDC 지불 처리 수요가 증가하게 되었을때, 증가된 볼륨을 처리할 수 있는 확장성이 보장되어야 하며, 자금세탁방지(AML), 테러자금조달방지(CFT)와 제제에 관한 규정 준수에 대한 정책이 반영되어야 한다. 또한 CBDC의 주요 이슈 중 하나인 비공개 방식으로 GDPR(일반 데이터 보호 규정)과 호환이 필요하다.

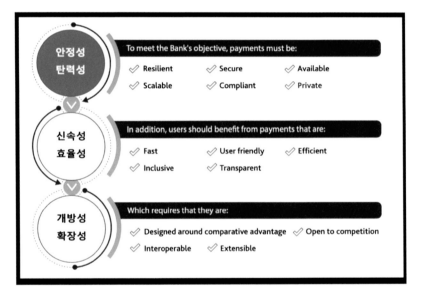

출처 : Bank of England, Central Bank Digital Currency opportunities, challenges and design

두번째로는 CBDC는 지불시스템의 신속성(Fast)과 효율성(Efficient)을 보장 하도록 해야 한다.

지불인(송신인)이 자금을 받는 수취인에 대한 지불을 시작하는 프로세스는 완료에 대한 확실성과 신속성이 보장되어야 한다.  사용자는 최소한의 기술적인 지식 수준으로 최소한의 단계 및 절차로 직관적인 결제가 가능한 환경이 필요하다.  CBDC는 지불하는 비용을 최대한 낮추는 방안으로 가장 간단한 방식으로 지불이 되어야 하며,  지불하는 비용에 대해서는 모든 사용자에게 명확한 자료를 제공해야 한다.  CBDC 지불 시스템은 기술 능력, 장애,  하드웨어 엑세스, 모바일 데이터 네트워크 엑세스 항목에 대해서 보장되는 시스템 환경으로 구성해야 한다.

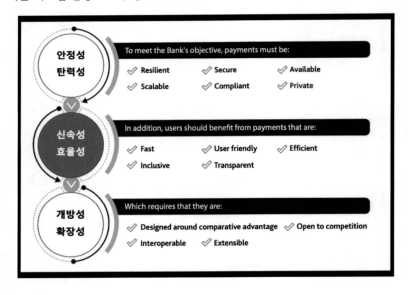

출처 : Bank of England, Central Bank Digital Currency opportunities, challenges and design

세번째로 CBDC는 지불 서비스 제공업체와의 경쟁에 대한 개방성과 확장성을 보장해야 한다.

CBDC의 구조는 탄력성과 보안을 손상시키거나 불공정한 상업적 이점을 제공하지 않는 한 은행과 민간 결제 부분의 각각의 장점과 전문성을 기반으로, 비교 우위 중심으로 추진이 필요하다. CBDC는 관련 지불 서비스 제공업체를 위한 경쟁 시장을 촉진하기 위한 진입 장벽 최소화와 소비자 보호를 위한 규제가 필요하며, CBDC 지불은 상호 운용이 가능해야 하고 서로 다른 공급자의 사용자 간에 그리고 CBDC 사용자와 예금 계좌 사용자 간에 지불이 서로 가능하도록 구성해야 한다. 그리고 확장성을 고려하여 CBDC 플랫폼 상에서 추가적인 서비스를 구축 가능한 환경 조성과 서비스 범위에 제한을 두지 않는 유연한 인프라가 필요하며, 국제 결제인 타 국가와의 CBDC 지불 시스템과도 상호 운용되도록 사전에 요구조건에 반영해야 한다.

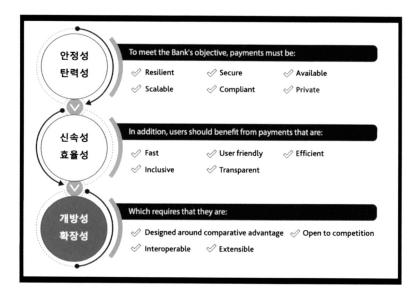

출처 : Bank of England, Central Bank Digital Currency opportunities, challenges and design

# CBDC 도입을 위한 핵심 요소

CBDC 도입을 위한 핵심 요소를 나열할 때, CBDC 피라미드 기반으로 정의한다. CBDC 피라미드는 소비자 요구를 중앙은행의 관련 유형 선택에 매핑한다.

CBDC 피라미드의 왼쪽에는 CBDC를 유용하게 만드는 소비자 요구와 관련된 기능이 정의되어 있으며, CBDC 피라미드의 오른쪽은 관련된 절충안을 제시한다. 하위 계층이 이후의 상위 수준 결정에 영향을 주는 디자인 선택을 나타내는 계층 구조를 형성한다.

출처 : Citi, Future of Money, CBDCs, Crypto and 21st Century cash, BIS Working Paper

CBDC 피라미드의 핵심 요소는 총 4 가지로 정의 할 수 있다.

첫번째로 아키텍처로 CBDC에서 중앙은행 및 민간 중개자가 수행하는 운영 역할을 정의한다. 아키텍처는 법적 청구의 구조와 중앙은행이 보관하는 기록에 따라 다를 수 있으며, 직접, 혼합, 중개 및 간접 CBDC로 요약할 수 있다.

두번째로는 인프라로 중앙은행의 장애나 정전 사태로 부터 CBDC를 안전하게 보호한다. 이를 염두에 두고 CBDC 인프라는 기존의 중앙 집중식 데이터베이스 또는 블록체인의 분산원장(DLT)을 기반으로 구축할 수 있다. 주요 차이점은 효율성과 단일 실패 지점으로 부터 보호하는 정도에 있다.

세번째로는 엑세스 요소로 고객이 CBDC에 엑세스할 수 있는 방법을 결정한다. 계정 기반 CBDC는 신원 체계와 연결되어 있으며, 제대로 작동하는 지불을 위한 기반을 형성할 수 있다. 한편, 디지털 토큰을 기반으로 하는 CBDC는 은행이 없고 현금에 의존하는 개인에게 더 적합하다.

네번째로는 소매 및 도매 상호 연결 요소로 국경 간 지불을 위한 CBDC 사용과 거주자 대 비거주자의 접근성과 관련이 있다.

**CBDC 핵심 요소**

**아키텍처**
- 중앙은행 및 민간중개자의 운영역할 기반 정의
- 법적 청구의 구조 및 보관하는 기록 수준에 따른 직접, 혼합, 중개, 간접 CBDC 형태로 분류

**인프라**
- 중앙은행 및 인프라의 장애 및 단일실패지점으로 부터 CBDC를 안전하게 보호
- 기존의 중앙 집중식 데이터베이스 or DLT 기반 설계

**엑세스 (접근방법)**
- 사용자가 CBDC에 접근할 수 있는 방법 정의
- 계정기반 CBDC는 신원인증체계과 연계를 통해 정상적인 지불 처리 기반 환경 설계

**소매 및 도매 상호 연결 방안**
- 국경간 지불을 위한 CBDC 프로세스 및 거주자와 비거주자의 접근성 향상 관련 기반 설계 필요

출처 : Citi, Future of Money, CBDCs, Crypto and 21st Century cash, BIS Working Paper

# CBDC 도입을 위한 핵심 기술 요소

CBDC 도입을 위해 사용되는 기술은 광범위하며 CBDC의 목표와 원활한 공급을 위한 조건에 기반하여 핵심 기술 요소를 채택해야 한다.

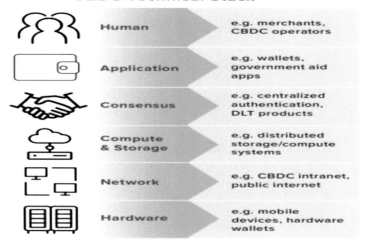

**CBDC Technical Stack**

| | | |
|---|---|---|
| Human | e.g. merchants, CBDC operators |
| Application | e.g. wallets, government aid apps |
| Consensus | e.g. centralized authentication, DLT products |
| Compute & Storage | e.g. distributed storage/compute systems |
| Network | e.g. CBDC intranet, public internet |
| Hardware | e.g. mobile devices, hardware wallets |

출처 : https://www.atlanticcouncil.org/wp-content/uploads/2022/06/Missing_key.pdf

1. 분산(Decentralization) : 많은 제 3 자가 원장의 사본을 유지 관리하고 원장에 대한 업데이트(예: 거래)를 처리하는데 관여한다. 이를 위해서는 원장의 모든 사본이 동기화 되고, 동일한 정보를 저장하도록 하는 " 합의 프로세스 "가 필요하다.

2. 데이터 공유(Sharing of data) : 원장의 데이터 " 읽기 " 또는 원장의 데이터 " 쓰기 " 권한에 대한 광범위한 참가자 그룹에 대한 엑세스 제공을 포함하여 원장의 가시성이 필요하다.

3. 암호화 사용(Cryptography) : 공개 키 암호화를 사용하여 지불 명령을

보내는 사람이 그렇게 할 자격이 있는지 확인하거나 주장하기 위해, 암호화 증명을 사용하는 것을 포함하여 다양한 유형의 기능을 활성화하는데 사용할 수 있는 암호화 매커니즘이 필요하다.

4. 프로그래밍 가능성(Programmability) : 사람의 개입 없이 계약 조건을 자동으로 실행하고 관련 거래를 시작하는데 사용할 수 있는 이른바 " 스마트 계약 "의 생성의 요소는 잠재적으로 서로 독립적으로 채택될 수 있다. 예를 들어 스마트 계약의 프로그래밍 기능은 보다 전통적인 센터를 사용하여 생성된 원장에 배포할 수 있다.

 CBDC 도입 시, 핵심 기술 요소는 분산원장 기술(DLT)을 사용하여 CBDC를 구축해야 한다고 가정하지 않으며, 기존의 중앙 집중식 기술을 사용하여 구축할 수 없는 조건은 없다.

 그러나 분산원장(DLT)에는 CBDC 설계를 고려할 때 분석해야 하는 요건인 배포나 분산화는 복원력과 가용성을 향상시킬 수 있으나, 성능, 개인정보 및 보안과 같은 측면에도 부정적인 역할을 미칠 수 있다.  서로 다른 설계 원칙 간의 중요한 균형은 올바른 균형을 유지하고 은행의 정책 목표를 달성하기 위해 신중한 고려가 필요하다.

**DLT 기반의 분산화는 복원력과 가용성을 향상 및 스마트
계약을 통한 프로그래밍 가능한 디지털 화폐 발행 및 관리 가능**

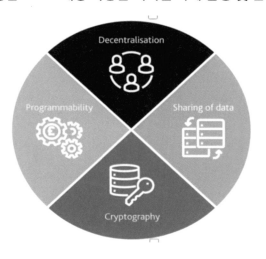

출처 : Bank of England, Central Bank Digital Currency opportunities, challenges and design

# CBDC 도입을 위한 설계 방안과 원칙

CBDC 설계 접근 방식은 소비자의 요구조건을 식별하고, 절충점을 매핑하는 방식으로 설계 방안을 도출해야 한다. 기존의 신원 확인(KYC) 프로세스와 분산원장(DLT) 기반의 토큰화된 무기명 도구간의 조합을 통한 발행 구조, 그리고 디지털 무기명 자산의 사용성과 소비자 보호를 위한 전자지갑을 제공할 수 있는 인프라에 대한 설계가 필요하다.

CBDC 도입을 위한 설계의 시작은 설계 초기 부터 중앙은행과의 적극적인 협력 관계를 기반으로 검토가 필요하며, 필요사항과 제한사항 등을 고려하여 검토해야 한다.

CBDC 서비스 형태는 기존 금융시장과 구조가 유사한 형태임으로 인해, 기존 금융 시스템 및 인프라와 통합하기 용이한 구조로 방안 도출이 필요하며, 블록체인 기반의 분산원장 기술을 활용함으로 인해, 접근성 확장과 향상된 개인정보를 제공할 수 있는 구조로 빠르게 변화되고 있는 금융 시장에 대응할 수 있는 형태로 설계 방안을 고려해야 한다.

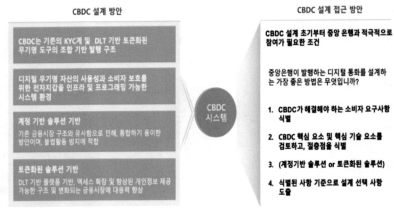

출처 : Citi, Future of Money, CBDCs, Crypto and 21st Century cash

성공적인 CBDC 도입과 배포를 위해서는 보안, 개방형, 포용성, 통제권, 호환성을 보장하는 다섯 가지 원칙 기반으로 설계 원칙을 수립해야 한다.

CBDC를 실험단계를 지나, 상용화 되기 위해서는 안정성, 보안성, 복원력을 제공하는 블록체인 기반 분산형 시스템으로 구축이 필요하며, 보안 강화를 위한 양자 컴퓨팅 기술과 같은 타 기술과의 융합이 필요하다.

성공적인 CBDC 인프라 모델은 블록체인 기술을 핵심 기반으로 개방형이나 폐쇄형 시스템 설계 원칙을 준수하고, 새로운 디지털 인프라의 신속성과 혁신을 촉진하기 위한 환경 기반으로 시스템 설계가 필요하다. 경제성과 포용성 보장을 위해, 시중은행과 핀테크 기업 등 인가 받은 서비스 제공업체가 CBDC를 유통하고 관리할 수 있도록 2 티어(Tier) 소매(Retail) 시스템으로 구축해야 하며, 중앙은행은 CBDC의 통제권을 보유하고, 고객 서비스의 책임은 은행, 그리고 핀테크 기업이 담당하는 구조로 광범위한 소비자 계층에 대응 가능한 모델을 검토해야 한다.

중앙은행은 CBDC 운영 및 관리 정책과 CBDC 네트워크 검증자 역할을 수행하고, 지리적 위치에 대한 완전한 통제권 확보를 위한 방안이 필요하며, CBDC가 제공할 서비스에 대해서 프로그래밍 방식으로 필요에 따라 빠르게 적용할 수 있는 구조로 설계되어야 한다.

CBDC 인프라는 크로스볼더(Cross-Border) 트랜잭션을 지원할 수 있도록 유연성 보장이 필요하고, 기존에 제공하고 있는 국가 실시간 결제시스템(RTGS)와의 통합을 통한 유연한 서비스 연계 구조도 설계 원칙에서 중요한 항목이다.

| | |
|---|---|
| ● | 탈중앙화 시스템은 중앙화 시스템과 동등한 수준의 보안 보장 |
| ● | CBDC 인프라는 높은 접근성 및 개방형 시스템 설계 기반 구축 |
| ● | 경제성, 포용성 보장 |
| ● | CBDC 통제권은 중앙은행 전권 보유 |
| ● | 유연성, 통합 및 호환성 보장 |

출처 : Algorand

## CBDC 설계 방식과 고려 사항

CBDC는 기존 은행예금과 같이 계좌방식(Account)이나 분산원장 기술 기반인 토큰(Token) 방식으로 발행이 가능하다.

토큰(Token)은 개인간 P2P 교환과 지급수단 자체의 진위여부 확인이 가능하고, 계좌(은행예금)은 중앙 집중식 교환 처리 방식으로 계좌 소유자의 신원확인 방식으로 이 두가지 형태로 발행 하는 형태는 폐쇄형 (Permissioned) 구조로 설계 시, 신뢰성 확보를 위해 별도의 환경이 불필요 하다.

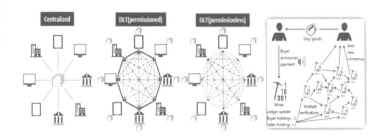

출처 : BIS 연차 보고서(2018)

CBDC 설계 시 고려사항은 거버넌스, 서비스 연동, 발행자, 프로그램 가능
여부, 상호 운영성, 유통 및 관리로 구분되어 진다.

포괄적인 비즈니스 케이스를 검토하기 위해 글로벌 확장 기회, 추가
서비스를 통한 새로운 매출 발생과 효율성 증대를 통한 비용 절감, 결제
인프라 및 준법 감시 중심의 네트워크 효과를 고려한 재무적인 요소 파악이
필요하다. 은행의 금융 취약 지역에 대한 투자활동 확대에 따른 예금상품
이탈을 촉진할 수 있는 매개체 역할이 될 수 있어서, 예금이익의 손실을 상쇄
하는 방안이 같이 검토되어야 한다.

일관성을 확보하고 예산 요건, 인재, 데이터, 기타 자원 필요성에 대한
중요한 결정을 내리기 위한 매커니즘과 파트너, 데이터, 인력 및 기타 요소들을
고려한 효과적인 생태계 개발이 필요하다. 그리고 거버넌스, 프로그램 가능성,

연동 유형 등의 디지털 화폐의 도입에 수반되는 설계의 대안을 실험할 수 있는
규제 샌드박스와 같은 환경이 필요하다.

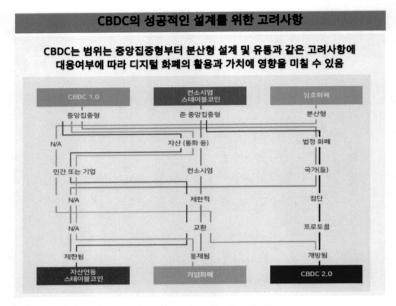

출처 : Get Ready for the Future of Money, Boston Consulting Group(BCG)

## CBDC 과제를 해결하기 위한 설계 원칙

CBDC 도입에 따른 영향도와 풀어야할 과제에 대한 접근은 신중하게 검토
되어야 한다. 디지털 화폐 도입으로 사용자와 기업에 유용하려면, 국가별
국내 시장에서 기존에 서비스되고 있는 지불 방식과 공존하고 상호 작용해야

한다. 그리고 국내 시장 뿐만 아니라, 타 국가와의 상호 운영성을 위한 글로벌 트랜잭션에서 작동하도록 기능을 반영해야 하며, 원활한 국경 간 정의된 기능이 없다면, 대부분의 CBDC 프로젝트는 한계에 도달할 것이며, 잠재력을 크게 달성하지 못할 수도 있다.

TCP/IP, HTTP 및 FTP와 같은 공통 프로토콜에 대한 초기 합의로 글로벌 인터넷이 번성했던 것처럼 중앙은행도 다음을 포함한 기본 기능을 다루기 위해 CBDC 표준에 대한 조정을 시작해야 한다.   에스크로 및 해시 시간 잠금과 같은 트랜잭션 수준 작업 ID 및 주소 지정 체계에 대한 가장 효율적인 전송 방법을 결정하기 위한 유연한 라우팅 처리를 통해 CBDC는 다른 국내 서비스와 서로 연결되어 중앙은행이 주권을 유지할 수 있는 동시에 효율성을 높이고, 거래 비용을 줄이고, 새로운 시장 진입자에 대한 장벽을 낮출 수 있다.

기존 금융 시스템을 지원하는 인프라는 방대하고 다양함으로 인해, CBDC가 도입되더라도 이미 서비스하고 있는 다양한 형태의 환경을 완전하게 대처할 수 없기 때문에, 기존 인프라 위에 새로운 시스템을 구축하는 계층형 아키텍처 모델이 가장 합리적이다.   계층화된 아키텍처의 주요 이점은 중앙은행이 나머지 시스템의 무결성을 손상시키지 않고, CBDC 인프라를 구현하기 위해 민간 결제업체와의 협력하여 더 빠르고 효과적으로 이니셔티브를 시작하고 실행하는데 큰 도움이 될 수 있다.

CBDC는 블록체인의 분산원장 기반으로 발행 및 관리될 수 있으며,

블록체인 거래는 중앙은행 및 상업은행과 같은 소수의 신뢰할 수 있는 파트너 또는 유럽연합이나 동부 카리브 통화 연합과 같은 협력 조합의 다른 회원국이 참여할 수 있으며, 이는 중앙은행에 분산원장과 함께 제공되는 유연성과 기능을 제공하는 동시에 통화 정책 및 경제 과리에 대한 충분한 중앙 집중식 제어를 유지할 수 있다.

CBDC는 유동성 시장과 글로벌 시장 활성화를 위한 브릿지(Bridge) 통화가 필요하다. 상호 운용성은 국내 거레에서 CBDC의 직접 교환을 지원하지만, 국경 간 거래와 관련된 많은 동일한 문제가 남아 있으며, 은행이나 기업, 그리고 중앙은행의 유동성 문제와 관련된 비용 증가와 위험을 피하기를 원함으로 인해, 유동성이 적은 CBDC 간의 교환을 가능하게 하고, 신규 및 소규모 시장 참가자에 대한 진입장벽을 낮춤으로써 글로벌 경쟁력을 향상시킬 수 있다.

중립 브릿지 자산은 실시간으로 다양한 CBDC 간에 마찰이 없고, 비용 효율적인 가치 이동을 허용하는 건전하고 대안적인 유동성 시장을 지원할 수 있으며, 효율적인 글로벌 시장을 활성화하려면 브릿지 통화가 지불에 대해 특별히 최적화되어야 하며, CBDC가 제공하는 것과 동일한 속도, 확장성, 저렴한 비용 및 보안을 지원해야 한다. 효과적인 대체 유동성 시장을 뒷받침함으로써 중립 브릿지 통화는 가치 교환을 위한 글로벌 도구로서, CBDC의 성공을 주도할 중요한 원칙이다.

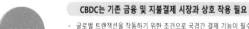

**CBDC는 기존 금융 및 지불결제 시장과 상호 작용 필요**

- 글로벌 트랜잭션을 작동하기 위한 조건으로 국경간 결제 기능이 필수적으로 포함되어야 함
- 에스크로 및 해시 시간잠금과 같은 방안을 통해, 각 중앙은행간의 CBDC 표준에 대하 정립이 수반되어야 함

상호운용성 ▶▶▶

**CBDC는 기존 금융인프라에서 새로운 시스템을 구축하는 계층형 아키텍처 모델 필요**

- 기존 금융 인프라의 방대함과 다양한 서비스로 인해, 새로운 시스템으로 전환은 불가함
- 계층화된 아키텍처 모델은 중앙은행이나 은행, 기업의 시스템의 무결성 손상 없이, CBDC 인프라 구축 가능
- 분산원장 인프라 기반 유연성과 통화정책 및 경제 관리에 대한 중앙 집중식 제어 유지 가능

계층형 아키텍처 ▶▶▶

**CBDC는 유동성 시장 및 글로벌 시장 활성화를 위한 브릿지 통화가 필요**

- CBDC간 원활한 교환 및 비용 효율적인 가치 이동을 허용하는 유동성 시장 지원 필요
- 신규 및 소규모 시장 참가자에 대한 진입장벽을 낮추고, 글로벌 경쟁력 확보를 위한 가치교환 수단 확보 필요
- 브리짓 통화는 지불에 최적화된 구조의 형태로, 빠른 처리 속도 / 확장성 / 저렴한 비용 및 보안이 보장되어야 함

브릿지 통화 ▶▶▶

출처 : Ripple, The Future of CBDCs

# CBDC 설계 시 고려 사항 및 적용 방안

CBDC 기술 기반 설계 시, 고려사항은 CBDC 구축을 위한 운영 모델과 블록체인 플랫폼, 익명성, 개인정보 보호수준. 가용성 등을 고려해야 하며, 제한 정책, 이자 지불 여부 등을 포함한 아키텍처를 구성해야 한다. CBDC 플랫폼의 구축 핵심요소는 분산형 플랫폼 기반으로 보안, 복원력, 성능(최대 10,000 TPS ~ Mearian 2019)이 보장되어야 하며, 토큰화 전략을 수립하여 반영해야 한다. 디지털 화폐에 대한 자금과 비밀키 보관 방식, 접근 방식에 대한 정의를 제대로 수립하는 것이 매우 중요하다. 특히 소매 CBDC 기준, 분산원장에 개인정보(계좌잔액 등)을 보호하는 인증처리 방식이 적용되어야

한다. CBDC 적용 방안은 지갑 또는 계좌 개설 시, MPC 기반의 마스터키를 생성하여 이를 기반으로 사용자와 중앙은행, 금융기관 간 개별 분산저장 방식으로 구성해야 하며, 운영과 관리는 중앙은행과 금융기관 간 역할 분담을 통해 운영하는 방식이 적절하다.

사용자간 P2P 방식은 MPC 프로토콜 기반으로 데이터를 처리하고, MPC [1]Server(Hub Node)는 중앙은행의 인프라 시스템에 포함하거나 별도의 서비스를 구성해 분산키 관리 체계를 구축하여, 복구나 장애 시, 신속한 처리가 가능하도록 해야 한다.

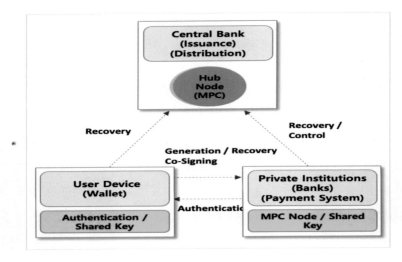

출처 : MPC

---

1 MPC는 다자간 연산으로 여러 당사자가 개별 입력을 공개하지 않고 결합된 데이터를 사용하여 계산할 수 있도록 하는 암호화 도구

# CBDC 서비스 고려 사항

CBDC는 금융 시스템을 재구성하는 것으로 지갑 호스팅, 강력한 온보딩 유지, AML / KYC 집행, 사이버 위험 관리, 분쟁 해결, 고객 서비스 및 기타 필수 역할을 지속적으로 수행할 수 있도록 구성하는데, CBDC 지갑 서비스를 보안의 안정성을 보장하도록 구성해야 한다.

CBDC 서비스를 위한 기술 스펙은 " 높은 보안 성능, 사용자의 키 복구 매커니즘, 낮은 수수료 "를 보장하도록 설계 해야 한다.

자산을 보호하고 운영자 인증을 위한 하드웨어 기반의 보안 환경과 모니터링 및 포렌식 조사를 위한 전사적인 로깅 환경 그리고 사용자 키 관리를 위한 FIPS[2] 레벨 3 하드웨어 또는 DRBG 환경 기반으로 대용량 트랜잭션을 처리할 수 있는 고성능 시스템을 고려해야 한다.

CBDC 서비스는 국가 차원의 거대한 규모의 인프라로 구성되어 짐으로 인해, 내부자 및 해킹 공격 대비를 위한 강력한 보안운영 절차가 수립되어야 하며, 모든 거래는 서명처리 프로세스를 반영하여, 악의적인 접근과 침투에 대한 접근 차단 및 효율적인 키 관리와 보관 처리는 중요한 항목 중에 하나 이다.

---

2 FIPS는 컴퓨터 보안 제품 지침에 대한 일련의 표준

| 시스템 환경 |
|---|
| • 자산 보호 및 운영자 인증을 위한 하드웨어 기반 보안 환경 |
| • 모니터링 및 포렌식 조사를 위한 전사적인 로깅 환경 |
| •Key 생성 및 저장을 위한 FIPS 레벨 3 하드웨어 또는 DRBG 사용 권장 |
| •대용량 처리량을 보완할 수 있는 고성능 시스템 |

## Security Policy

• 내부자 및 해킹 공격 대비를 위한 강력한 운영 절차 필요

•애플리케이션은 Key 관리 API 를 통해서 트랜잭션 서명 프로세스

•모든 거래는 서명 처리 프로세스 반영

•내부 보안 평가 및 타사 보안 감사 수행 필요

•Secure Storage 보관 키 미인증 호출 방지

| 항목 | LEVEL 1 | LEVEL 2 | LEVEL 3 |
|---|---|---|---|
| Key / Seed Generation | O | | |
| Key Storage | O | | |
| Key Usage | O | O | |
| Policies & Procedures | O | O | O |
| Audit Logs | O | O | |

CBDC
서비스

# 제 11 장

## CBDC가 가져올 변화

# 11 CBDC가 가져올 변화

CBDC 도입 초기 각국 정부는 회의적인 입장을 취했다면, 중국 디지털 화폐 테스트 발표를 계기로 각국의 중앙은행들의 관심이 높아졌으며, CBDC의 효과 및 디지털 통화가 기존 통화의 영향력을 축소할 수 있다는 점을 점차 인식함으로 인해, CBDC 시장 선점을 위해 경쟁이 심화되고 있다.

CBDC 도입은 글로벌 규모로 사용되는 디지털 자산이 글로벌 무역에 미치는 미국 달러의 영향을 크게 줄이고, 세계 준비 통화로서의 위치를 약화시킴으로써, 금융시장의 지각 변동이 예상되며, 국가별 CBDC 도입을 위한 테스트 및 상용화를 위해 다양한 케이스의 사례가 나오고 있으며, CBDC를 기존 통화의 대체 매개체로 활용할려는 시도가 증가하고 있는 상황이다.

2023년 영국 블록체인 리서치 업체 주피터 리서치(Jupiter Research)는 2030년 CBDC 거래 규모가 2,130 억 달러 (한화 약 278조 6,040억원)에 이를 것으로 전망하며, 각국 정부가 디지털 결제 통제력을 강화하기 위해 CBDC 상용화에 박차를 가하면서, 시장을 주도할 것으로 예상된다고 보고 있다. 이러한 추세는 민간업체 주도의 페이와 결제 시장에서, 중앙은행 주도의 디지털 결제 시장으로 빠른 변화가 예상된다.

CBDC는 종이화폐와 달리 추적이 가능한 화폐로 빅브라더가 출현할 것으로 예상되며, 디지털 화폐가 활성화되려면 잠겨 있던 종이돈들이 환전을 위해 모두 은행으로 들어가 소유주의 실명을 밝혀야 하는 상황에 직면하게 되면서, 자연스럽게 화폐개혁이 일어남으로 인해, 국가별 디지털 화폐의 사용화와 블록별 디지털 화폐가 탄생하게 될 것이다.

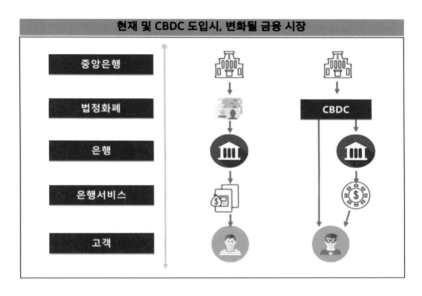

CBDC는 기존은행의 파산 위험과 개인과 경제 모두에 큰 이익을 제공하는 매개체 역할을 제공함으로 인해, 개인이 은행계좌 보다 CBDC를 선호하게 되는 주된 이유는 은행이 파산해도 위험성이 낮음으로 인해 안정성을 보장받고, 은행과 국가 간 송금이 훨씬 간소화 됨으로 인해, 빠르고 저렴한 프로세스 운영과 거래 데이터에 대한 기록 관리를 통해 기존의 복잡한 금융

시스템을 간편하게 구성할 수 있다. 블록체인 기반 기술인 분산원장 기반으로 자금세탁 방지를 위한 추적 및 감시 기능 향상과 재정적 포용을 위한 더 나은 기회 제공하고, 은행계좌가 아닌 다양한 수단을 통해 금융서비스를 이용하고 활용 가능함으로 인해, 더 많은 사용자에게 금융 진입 장벽을 낮게 만들 수 있는 역할을 제공하게 될 것이다.

## 지급 결제산업의 변화

CBDC는 지급결제 산업의 변화를 가져오게 되면서, 중앙은행이라는 하나의 거래 은행 내에서 지급결제가 처리되기 때문에, CBDC의 송금 및 상거래 지급 등에서 거래 상대방에 따른 신용 위험도를 낮출 수 있어, 안정성 제고가 가능한 구조이다. 중앙은행이 기존 민간 금융기관이나 민간업체들이 제공하던 고객 지급결제 서비스를 직접 제공하는 형태로 변화가 예상된다.

기존의 디지털 결제는 민간업체가 제공하는 별도의 앱을 통해, 현금을 충전하여 포인트 형태로 결제하는 형태와 간편결제를 통해서 서비스를 제공하는 대체 역할을 제공하였다면, 중앙은행 주도의 디지털 결제는 은행에 예치된 예금을 기반으로 디지털 결제를 어느 곳에서나 사용할 수 있도록 함으로써, 체크카드로 제공하는 서비스 즉, 카드 형태가 아닌 디지털 페이 형태의 서비스로 제공하는 것이다.

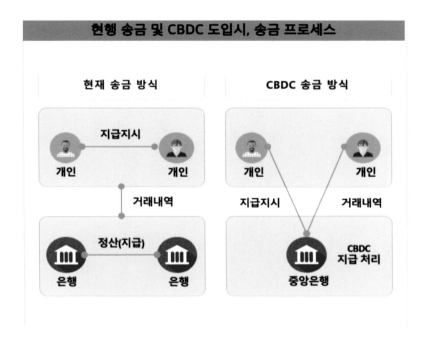

출처 : 한국은행(BOK), 신한금융투자

CBDC가 도입이 되더라도, 현행 시스템 하에서의 송금 및 상거래에 소요되는 지급결제 처리 소요시간은 비슷할 것으로 예상되지만, 기존 중앙은행에 개설된 각각의 시중은행의 당좌 예금계좌를 통해 은행간 자금이체를 진행한후, 수취인 계좌에 입금되는 방식에 비해서는 금융 시스템의 절차의 단순화가 이루어질 것으로 예상된다. 기존 은행을 거치지 않고, 중앙은행의 거래 승인 또는 계좌 이체 만으로 거래가 가능함으로 인해, 은행 간 정산과정이 수반되는 소액 결제시스템에 비해 처리비용이 축소될 것으로 기대된다.

현행 시스템의 지급인과 수취인의 거래은행 간의 정산과정을 통해 신용 위험을 방지하는 절차가 있다면, CBDC는 신용위험 방지를 위한 담보설정 과정이 불필요하며, 거래 참여자가 중앙은행과 연동된 계좌 또는 전자지갑을 통해 별도의 청산기관이 불필요함으로 인해, 결제 프로세스의 단순화되고 수수료 절감 효과가 발생할 것이다.

중앙은행 계좌를 통한 거래는 기존 시중은행 계좌의 활용과 유사한 방식으로 운영되고, 토큰 서비스가 범용되는 직불카드나 휴대폰 결제가 연동이 가능한 형태로 서비스 가능하게 될 것이기 때문에, 민간업체들의 지급결제 사업 형태에 변화가 일어날 것으로 보인다. 민간업체들의 간편 결제나, 저렴한 수수료 기반으로 서비스를 제공하는 시장에 경쟁력 있는 송금 및 상거래 수수료를 인하할 수 있어, 재화 및 서비스 판매자는 운영비용을 절감하게 되고, 소매 단기 하락으로 인한 소액 상거래 시장을 더욱 활성화 시키는 촉매제 역할을 하게 될 것이다.

이러한 CBDC의 거래비용 절감 효과로 인해, 지급결제 산업에 대한 구조의 변화가 불가피한 상황에 직면하게 되면서, 중앙은행은 기존 은행과 민간결제 업체와의 송금 서비스 경쟁이 심화될 것으로 예상된다. 결제처리 과정의 단순화와 비영리성 등으로 거래 비용이 상대적으로 저렴해짐으로 인해, 은행의 기존 영역이 축소하게 될 것이며, 지급정보의 중개 및 결제자금 정산 등 시중 은행을 통한 거래 과정에 개입하는 금융결제원의 역할이 축소되면서, 구조 변화가 가속화 될 것이다.

CBDC 도입으로 인한 전자금융업의 수수료 인하 및 서비스 개선 압박으로 다양한 새로운 서비스가 출시 되고, 신용거래 기반인 신용카드는 유지가 되겠지만, 직불형 카드 이용 규모는 축소되면서, CBDC 지갑과 결제 서비스를 통한 이용 규모가 확대될 것이다.

지금까지는 CBDC의 장점을 이야기하였지만, 문제점 및 고민해야 할 부분들이 존재한다. CBDC는 실물경제와 기존 금융시장의 광범위한 변화를 가져올 것으로, 기존의 서비스나 질서를 무너뜨림으로 인해서 미칠 여파가 클것으로 예상된다. 중앙은행이 발행하는 CBDC를 이용함으로 인해, 시중은행을 찾는 고객의 감소와 CBDC 기반 이자 지급이 가능해지면서, 은행예금 수요도 줄어들게 될 것이다.

은행의 기존 영향력 감소로 인해, 자금 조달 비용 증가와 수집 가능한 정보의 감소로 신용창출 기회가 축소됨으로 인해, 기존 시중은행과의 공존과 서비스 연계 영역을 복합적으로 검토해야 하는 문제점이 있다. 하지만 CBDC 도입의 영향으로 시장의 환경 변화는 불가피하지만, 중앙은행이 개인에게 CBDC를 직접 발행하는 것은 기존의 금융과 결제 인프라와 동일한 환경을 구축하는데 비용이 큼에 따라, 기존 시중은행의 인프라와 연계해, 개인에 CBDC 결제와 같은 실생활에 활용하는 접점은 시중은행이나, 민간결제 업체의 인프라를 활용할 것으로 예상된다. 한 예로 중국에서 추진하는 CBDC는 초기 검토 시점부터 은행과 민간결제 업체 즉, 페이 서비스 업체와 같이 서비스 구축을 위해 협력한 케이스는 이와 같은 이유로 볼 수 있다.

그리고 금융시장의 민간업체의 영향력은 축소되면서, 공공의 역할이 확대됨으로 인해, 발생할 수 있는 사이버 공격이나 해킹 등에 노출될 수 있다는 문제점을 해결하는 방안으로 블록체인 기술을 검토하는 이유 중에 하나이다. 기술적인 방안으로 보안의 문제를 해결할 수는 있으나, CBDC의 도입과 기존 서비스와의 안정적인 연계와 전환을 위해서는 모든 디지털 자산을 포괄하는 법률과 규제 프레임워크 구축이 필요하다. 현재의 규제는 CBDC를 포용하는데는 한계가 있음으로 인해, 다양한 공공 및 민간결제 역할을 위한 상호 운용성을 차단할 수 있는 문제와 소비자 보호 및 최종성과 결제, 개인정보 보호를 우선시 하여 개선과 새로운 규제 정립이 구축되어야 한다.

디지털 서비스로 전환되면서, 소외될 취약 계층에 대한 대응방안으로 디지털 화폐를 사용하기 위해서는 스마트폰 등이 필요한 만큼 비용 부담이 클수 밖에 없음으로 이에 대한 대처 방안으로 오프라인 결제가 가능한 대체 서비스를 검토해야 한다. 블록체인 사례 중에는 결제 가능한 칩이 내장된 카드를 배포하여, 결제 기기에 결제가 가능하도록 하는 서비스를 아프리카 국가 중에서 서비스를 제공한 적이 있다. 이와 유사한 형태로 온라인 상태가 아니더라도, 서비스가 가능하면서 스마트폰 기기와 같은 고가의 장비가 없더라도 이용할 수 있는 대체 서비스를 통해 고령계층과 취약계층이 소외되지 않도록 서비스 제공 방안을 다양한 루트로 접근이 필요하다.

CBDC를 통한 디지털 지급수단의 확대로 시중은행과 핀테크 업체들의 역할을 흡수하게 되면서, 지급결제 서비스 개선 노력이 확대되고, 경쟁력 강화를 위한 다양한 방안들이 출시될 것이며, 디지털 기반으로 인해 결제와 유통에 대한 대량의 데이터를 수집할 수 있는 인프라가 구축됨에 따라, 돈의 흐름과 소비 패턴을 분석하여 개인화된 서비스를 맞춤형으로 제공이 가능해지고, 민간 금융 시장에 참고 데이터로써 활용될 것이다. 이와 더불어 최근의 Web 3.0 트랜드와 연계하여 특화된 서비스가 가능해 질 것으로 예상하고 있다.

## 가상화폐 입지 변화

기존 법정화폐를 대신하는 차세대 거래 수단으로 디지털이라는 특수성과 같은 장점으로 각광 받았던 가상화폐의 입지는 점차 축소될 것으로 전망되면서, 가상화폐의 가치 불안정과 거래 수수료, 그리고 최근 루나 사태와 스테이블 코인의 안정성 문제, 가상화폐의 규제 심화로 인해 그 영향력은 감소하게 될 것이다.

인도정부는 가상화폐의 가격 불안정성과 불법거래에 활용 가능성이 높아짐으로 인해, 거래를 금지하는 대신 인도중앙은행(RBI)가 발행하는 공식 디지털 화폐를 추진중에 있으며, 자금세탁에 활용될 소지가 큰 가상화폐가 제도권에 점차 편입되면서, 각국 당국이 강력한 규제와 경계, CBDC 발행에 속도를 내고 있는 상황으로 인해, 가상화폐 시장 규모는 위축되겠지만, 가상화폐의 일부 즉 비트코인 등과 같은 가상화폐는 화폐가 아닌, 가치 저장

수단으로 입지 변화가 예상된다. 비트코인과 같이 공급량 한정에 따른 희소성, 블록체인 기술에 기반한 영속성, 디지털로 존재한데 따른 거래 편의성을 가지고 있어, 가치 저장수단으로 발전할 가능성이 높다.

그리고 최근 테라 사태와 USDC의 디페깅[1] 사태로 인해 안정성에 대한 의문과 문제가 제기됨에 따라, 스테이블 코인의 대안으로 글로벌 신용평가 기관 무디스(Moodys)는 은행 예금의 토큰화와 중앙은행 디지털 화폐 (CBDC)를 제시하였다. 토큰화된 예금은 규제안에 있지만, 전통 은행의 신용 위험이 존재함으로, CBDC와 같은 제 3 의 관리자가 불필요한 중앙은행의 준비금을 대상으로 구성됨으로 인해, 스테이블 코인과 같은 안정성 관련 문제점을 해소할 수 있는 방안으로 주목 받고 있다.


## 통화의 장기적인 경쟁과 가치 영향

CBDC는 앞에서 언급한 기존 금융시장의 변화와 결제 환경, 디지털 서비스 다양화 등과 같은 변화도 크지만, 장기적인 관점이나 사회적인 영향도를 비추어 보았을때는 경제, 소비자, 윤리환경, 사회적 측면의 지원과 거버넌스 요인, 통화의 리스크와 수익, 통화의 장기적인 경쟁력 강화 영향을 미칠 것이다.

---

1 디페깅은 스테이블 코인이 더 이상 미리 결정된 페그 값으로 거래되지 않는 상태

국가적 차원 또는 글로벌 차원에서 운영되면서, 통화 정책의 자동화에 기여하고 신흥경제국의 하이퍼인플레이션[2] 리스크를 완화하고, 구매력 불평등 감소, 추적성의 개선을 통한 탈세 및 지하경제를 억제시킬 수 있는 역할을 담당하게 될 것이다.

**CBDC로 인한 사회적 영향도**

출처 : Get Ready for the Future of Money, Boston Consulting Group(BCG)

## 디지털 화폐의 미래 시나리오

CBDC가 가져올 미래 변화는 국가별 CBDC 도입을 위한 각축전이 심화

---

2 하이퍼인플레이션은 물가상승이 통제를 벗어난 상태로 수백 퍼센트의 인플레이션율을 기록하는 상황

11 장 CBDC가 가져올 변화 **217**

되면서, 글로벌 금융 시스템 변화와 글로벌 기축 통화로서 선점 경쟁이 심화 될 것으로 예상된다. 중국은 자국통화인 위안화의 영향력과 위상 강화를 위해, CBDC를 적극적으로 추진하고 있는 국가 중에 하나로, 미국과 경제경쟁의 심화로 미국 달러의 국제적인 영향력에서 벗어나고, 자국 통화를 미국 달러의 위상에 걸맞은 형태로 전환하는데 CBDC를 최대한 활용하고 있다.

이에 대응하기 위해 미국은 디지털 달러를 기반으로, 중국의 CBDC에 대응하고, 글로벌 기축 통화의 입지에 대해 대응하고 있으며, 중국의 행보에 예의주시하면서, CBDC를 추진하고 있다. 각국 중앙은행들은 모든 형태의 화폐 창출에 대한 단독 책임기관으로써, 권한 확대를 위해 CBDC를 추진하고 있으며, 코로나 팬데믹의 영향과 고금리와 인플레이션 압박으로 인한 대규모 경제위기로 인해 글로벌 금융 시스템의 변화와 재정 부양책을 위한 새로운 화폐로 CBDC 정책을 도입하고 있으며, 이에 따른 글로벌 금융 시스템의 구조 조정이 심화 될 것이다.

그리고 가상화폐 및 스테이블 코인의 광범위한 영역 확대로 인해, 국가 통화의 입지가 약화되고 통화 정책에 부정적인 영향을 끼침으로 인해, 각국 중앙은행들은 CBDC 도입을 가속화하고 있다. UBS 공용결제 코인(Utility Settlement Coin) 등 민간 부문의 이니셔티브는 홀세일 운영으로 시작하여, 점진적으로 더 광범위한 접근성을 확대하며 그 범위가 커짐에 따라, 기존 중앙은행의 역할과 영향력을 지키기 위한 방안으로 CBDC는 검토 대상이 아닌, 필수 항목으로 각국의 정책 로드맵에 반영되고 있다.

CBDC는 미래의 화폐가 아닌, 우리의 현실과 실생활에 활용되는 날이 얼마 남지 않았으며, 이를 통한 새로운 서비스와 금융 시스템의 구조 변화, 최근의 애플페이가 국내에 상륙하면서, 페이 서비스가 추가된 간편결제 같은 서비스의 변화와 같이 현재의 우리가 접하는 서비스를 넘어서 새로운 경험을 제공할 것이다.

CBDC가 공식적으로 출시되는 날을 기대하며, CBDC 바이블 집필을 마무리 하고자 한다.

# 제 12 장

## 참고 문헌

# 12 참고 문헌

- Deutsche Bundesbank: Jens Weidmann sieht Chancen und Risiken digitalen Zentrlbankgeldes, 2020.09.14

- BOJ, CBDC PoC Phase 2

- CAPCO, eCNY and CBDC

- Digital Dollar Project.org, Interoperability Standards for Digital Assets, Working Paper Series No. 02, 2023.11

- Blockchain Research Institue, The Digital Yuan and Corss-boarder Payments, 2022.8

- United Nations, Crypto assets and central bank digital currencies, potential implications for developing countries

- IIF Elevandi Insights Forum, The Business Model for CBDC Wallets

- Ripple, CBDCs The Digital Evolution of Money

- European Parliament, EGOV, What's next for the digital euro, 2023.11

- ECB, ECB identifies its work on a digital Euro, 2020.02.10

- ECB, Paper : Anonymity of CBDCs

- BIS Working Papers : No 880 by R. Auer, G. Cornelli, J. Frost, 2020.08.24

- BIS Innovation, Building API porototypes for retail CBDC ecosystem innovatio, 20230.6.16

- Bank of England(2020), "Central Bank Digital Currency Opportunities, challenges and design

- European Central Bank(2020), Central bank group to asses potential cases for central bank digital currencies

- European Central Bank, Yves Mersch(2020), An ECB Digital currency-a flight of fancy

- Digital Ruble, https://www.cbr.ru/StaticHtml/File/112957/Consultation_Paper_201013.pdf

- BCG, Get Ready for future of Money https://www.bcg.com/publications/2020/get-ready-for-the-future-of-money

- 러시아 중앙은행(2022), 신흥시장의 CBDC

- BIS, 논문 번호 123. https://www.bis.org/publ/bppdf/bispap123_t.pdf

- BBC(2014), https://www.bbc.com/news/business-26678145

- 러시아 연방 통계청(http://static.government.ru), https://www.gks.ru/folder/210/document/12994

- 한국은행(2020), "주요국의 중앙은행 디지털화폐(CBDC) 대응 현황

- Binance Research, Digital Currency Research Institute of PBoC

- 한국은행(2020), "해외 중앙은행의 CBDC 추진현황(기술검토 진행상황을 중심으로) 동연구소

- 한국은행 런던사무소, 영란은행 디지털 파운드화 자문보고서 및 기술보고서 발표(2023.02.9)

- 한국은행 CBDC 모의실험 연구사업 1 단계 결과 및 향후 계획

- 한국은행 CBDC 모의실험 연구사업 2 단계 결과 및 향후 계획

## 디지털 화폐 (CBDC) 바이블

**발행** 2024년 5월 3일

**지은이**  허강욱
**펴낸이**  한건희
**펴낸곳**  주식회사 부크크
**출판등록** 2014년 7월 15일 제2014-16호
**주소**   서울특별시 금천구 가산디지털1로 119 SK트윈타워 A동 305호
**전화**   1670-8316
**이메일**  info@bookk.co.kr
**ISBN**  979-11-410-8368-7